スマホに召集令状が届く日

ようこそ！戦争と独裁の未来へ

秋嶋 亮

白馬社

「支配者たちが笑えと言えば笑い、戦えと言えば戦う、無知なる大衆、新型の奴隷、永遠の子どもが増えていく」という独裁者《ヒトラー》の言葉を、この国《ニホン》の今に当てはめて考えてみればいい。

まえがき

沈黙の暴力の時代に

改憲が差し迫る昨今だが、この問題に言及する報道は全く見当たらない。つまり改憲の違憲性や危険性についての指摘が皆無であり、改憲の目的が永続的独裁である、という最大の論件が意図的に無視されているのだ。

もっと具体的に言えば、改憲案が統一教会によって起草されたこと（外国のカルト教団によって新憲法が下書きされていること）、基本的人権や戦争放棄など平和憲法の骨子である条文が全削除されていること、自衛隊が国防軍化されること（海外派兵が可能な軍隊に転化されること）、天皇が元帥としてそのトップに据えられること（カルトな神権政治の下で自衛隊が再編されること）、緊急事態条項が加憲されること（代表議会が停止され内閣独裁に移行すること）、などの重大な事案が全く知らされていないのだ。

要するに「改憲すればどれほど恐ろしいことになるか」という核心問題《コア・テーマ》が、マスメディアからゴッソリと排除されているのだ。

読売新聞は「改憲賛成が63%」という世論調査を公表しているが、これも改憲の問題点を一切示すことなく実施した不当なアンケートであり、世論調査を偽装した記事体広告《パブリシティ》であることは言うまでもない。

かくして国民の意識に「改憲は当然」という誤謬が埋め込まれ、国民投票が実施された際には、大多数が賛成に投じることになるだろう。つまり「合意の工学（マス媒体を駆使した大衆誘導の技術）」が憲法の改悪に用いられているわけだ。

しかしもっと大胆に、例えば「エッシャーの騙し絵」のように、誰が見てもそうとしか見えない体裁の偽装テロが勃発し、「この状況では一刻も早く改憲しなくてはならない」という規範性を強く帯びたレトリックの拡散と共に、一挙に改憲が手続きされるのかもしれない。

つまり人為的なカタストロフによって国民を「非意識的過程（物事の過程・状態・関係性な

どが意識に上らない状態)」に陥れ、そのままなし崩しに改憲に合意させることがシナリオ化されているのかもしれず、先の航空機の衝突事故などは、その演習とも予兆とも思える不可解さを呈していたのだ。

現実としてアメリカは9・11同時多発テロという虚構劇《ドラマツルギー》によって準ファシズム化し、イラクの侵略戦争に突き進んだのであり、今や日本も同じ国体に呑み込まれようとしているのだ。

ボードリヤールは〝現代の戦争は過去の戦争を模倣する戦争である〟と語り「仮想戦争」という概念を提唱したが、これがまさにポストモダン《近代以降》の中心的な体制変化《レジーム・チェンジ》の手法なのである。

そしてこのような中で、政府がソーシャルメディアを常時監視し、プラットフォーム事業者に「偽・誤情報」の削除を要請する「ＳＮＳ規制法案」が強行されたのだ。

これが「政府に都合の悪い情報」を「偽・誤情報」と言い換え《ワーディング》した体の良い言論弾圧法であることは論を俟《ま》たない。さらに論究すれば、これは「サイバネティクス政治（情報技術で国民を管理する政治)」の宣言であり、Ｇ・オーウェルの暗黒小説『１９８４年』に登場する「真理省」さながらの監視機構の出現を示唆しているのだ。

今後はネット右翼たちがサイバー・ポリス《電脳憲兵》となり、X（旧ツイッター）、Facebook、note、Tik-Tok、YouTube などを徘徊し、反政府的な投稿を（いずれは反戦的な投稿を）を片っ端から当局に密告するのだろう。これは筆者の臆説ではなく、すでにコンテンツ・モデレーション《SNSの監視》という新興産業は一大市場を形成しつつあるのだ。

かくして日本は、何が事実で何がそうでないのかを、証拠や科学によってではなく、支配層の都合によって決定する「社会構築主義」のディストピアと化すのだが、このようなオーセン《真実性》ティシティ《という概念》の破壊は、法律国家的合法体系の破壊と同義であることを理解しなくてはならない。すなわち「真実と虚偽の区分の破壊」によって、法治国家としての日本は完全に終わるのだ。

国民は甘く考えているが、「ＳＮＳ監視法案」の強化法が作られると、フランスや中国のように、発信者に罰金や禁固刑を科すことも可能となるだろう。つまりこの法案は国民に対する政治的な武器として用いられ、日本は急速に「刑罰国家」化するのだ。これは言い換えると、ファシズムという一つの定型《フォーマット》への収斂なのである。

ところが、この全般的危機において、野党も、学識者も、アーティストも、言論人も立ち上がろうとしなかったのだ。すなわち、平和憲法が破られ、人権が粉砕される次元において、普段あれほど正義者ヅラをしている彼らは皆黙従したのだ。

文学者・澁澤龍彦《しぶさわたつひこ》は「暴力は沈黙的である」と語ったが、この言葉の通り、対抗者《オルタナティブ》たちは「沈黙の暴力」の共犯者となり、口を噤むことで弾圧を促し、専制の悪を見過ごしたのである。

かくも正義が韜晦《とうかい》し、独裁が順境を迎え、知性が仄暗《ほのぐら》い時代において、作家たる僕は激しく真価を問われるのだが、本書はその証明として投じる反抗の文藝《ぶんげい》であり、捨身の告発書であることを末尾に記し序言を閉じたいと思う。

秋嶋　亮

目次

◉第1章　「カタストロフィの政治」とは何か

◉第2章　グローバルな独裁の時代

◉第5章 日本人の消滅という問題

◉第6章 「スマホに召集令状が届く日」が近づく

※本書に収録された各種の用語は、社会学、政治学、哲学、歴史学、心理学などの正統な学術用語であり、筆者の造語ではありません。

◉第1章

「カタストロフィの政治」とは何か

恐怖の連続で体制を変化させる

聞き手：白馬社編集部

——今年《2024》は元旦から災害が連続し、日本の未来を象徴するかのような幕開けとなりました。

秋嶋　これほど禍々《まがまが》しい年初はかつてなかったでしょう。能登半島が大地震と津波に見舞われ、志賀原発の電源が喪失するという、3・11《フクシマ》のデジャヴ《既視感》さながらの光景でした。そして翌日には、民間の旅客機と海保の航空機が衝突し爆発炎上する、という国民的なトラウマ体験の中で、新年の幕が切って落とされたのです。

――しかし事件の連続は偶然でないように見えるのですが。

秋嶋　輪島市の火災の状況がマウイ島の火災と酷似していたこと（レーザー兵器が用いられた痕跡があること）、飛行機衝突の状況など多くの不審な点が見られます。しかし確証がありませんから、全ては仮説にとどまります。

――確かに結論を出すには情報が少な過ぎます。

秋嶋　あらゆる可能性に開かれていることが科学的態度なのです。こんな時こそ帰納的理性（事件の現場から考察する態度）と、演繹的理性（論理や原則から出発する態度）の両サイドに照らして考えなくてはなりません。

――それを踏まえた上で今後をどのように分析しますか？

秋嶋　この複合的災害状況は必ず政治利用されます。例えば為政者は「これほど国民の安全が脅かされる状況では改憲するしかない」と国民を説得するわけです。現に、この機を狙ったかのように、日本製鉄名誉会長・三村明夫と、日本医師会名誉会長・横倉義武らが、緊急事態条項を盛り込んだ改憲の提言書を官邸に提出しているのです。

――しかしとても芝居臭いですね。前々から計画を練っていたのではないでしょうか。

秋嶋　「政治の主導ではなく民間の要請で改憲を発議するのだ」という文脈を作るためのヤラセだと思います。要するに国会議員が音頭を取って改憲するのは違憲だから、国民の要望に応えたという体裁を整えているわけです。

――やはり一連の災害は改憲の合意を作るのに好都合なのでしょう。

秋嶋　大衆には「オリエンテーション欲求」が備わっています。つまり恐怖や不安に晒されると、盲目的に政府やマスコミに服従するのです。言い換えると、国民は危機的な状況になるほど権威主義化するのです。為政者はそんな国民の心理状況に付け込むわけです。

――東日本大震災の時も、秘密保護法などの危険な法案がバンバン成立しました。政府はまた同じようなことを企んでいるのではないでしょうか。

秋嶋　「カタストロフィの政治」が実践されているのです。いわゆる「惨事便乗型政治《ショック・ドクトリン》」です。そうやって震災で混乱する隙を狙って、平時ではできない法案を通す作戦なのです。すでに危険な法案が続々と閣議決定されていますが、これについては後で詳しく説明します。

――恐ろしく危険な状況になってきました。このままでは改憲も一気に進められるでしょう。

秋嶋　ナチスの授権法は「国民を危害から守るための法律」として提出されました。そして民衆がその建前的な大義を受け入れたことで成立したことからすれば、大規模災害や周辺国の脅威を根拠に改憲論が席巻する今の日本は、当時のドイツと瓜二つなのです。

――災害が連続する中で世論調査をすれば、過半数が「賛成」と答えるでしょう。

秋嶋　そもそも新聞記事には改憲の問題点が何一つ記されていません。テレビも全く報道しません。マスコミが改憲の危険性に触れないから、国民は改憲があたかも良いことであるかのように錯覚しています。つまり偏向報道によって、分かっていないのに分かっていると思い込む「流暢性《りゅうちょうせい》」が蔓延しているのです。

――みんな自分の意識が操作されていることに気づいていません。その自覚がないことが恐ろしいです。

秋嶋　民主憲法の原則は、政府と国民の双方が公平に責任と権利を負う「双務契約」です。ところが自民党の改憲案は、政府の一方的な命令に国民が従うことを義務付ける「付従契約」です。要するに独裁政府の樹立を目的にしているのです。つまりこれはファシズム憲法です。にもかかわらず、これほど重大な問題が周知されていないのです。

――共産や社民などは改憲に反対の姿勢ですが。

秋嶋　野党も改憲の目的が戦争国家への回帰であるという核心に全く切り込みません。緊急事態条項の危険性を周知し、反対世論を喚起する取り組みも皆無です。なぜなら、改憲は宗主国《アメリカ》の命令だからです。

――だから野党も改憲問題について口ごもっているわけだ。在日米軍や東京地検という暴力装置が睨《にら》みを利かせているから逆らえないのでしょう。

秋嶋　宗主国《アメリカ》を支配する金融軍産複合体《ネオコン》は、日本を再軍国化させる狙いなのです。つまり属領である日本と周辺国との緊張を高め、「制限戦争（全面戦争には至らないが緩慢に永続化する戦争）」に持ち込み、米国製の兵器を大量に購入させる狙いなのです。

——要するに戦争経済の枠組みで、アメリカが日本を徹底的に搾取する計画なのですね。

秋嶋　すでに岸田政権は、国家安全保障戦略、国家防衛戦略、防衛力整備計画から成る「安保関連3文書」を閣議決定しています。これは事実上の戦争法案です。こんなことが一連の災害の中で進められていたのです。

——地震、津波、火災、航空機事故と続けば思考が麻痺し、何が起きているのか考える余裕がなくなりますからね。国民はまんまとそこに付け込まれたわけです。

秋嶋　民衆を恐怖で操作する「カタストロフィの政治」は、同時多発テロ直後の米国でも用いられたグローバリスト《世界的僭主》の常套手段です。これによりアメリカは準独裁国家《セミファシズム》化したのです。

国民を大規模な体制変化《レジーム・チェンジ》に合意させるには、このようなハイパーテロル《超絶的恐怖の作戦》が最も有効な手段なのです。

言論を標的にする国家のテロリズム

——それにしても異様な世相です。僅か半月余りの間に、地震、津波、飛行機事故、原発の電源喪失、連続火災（輪島市、北九州市、田中邸の火事）が起きました。

秋嶋　日本は〈テロの時代〉に突入したのです。もちろん自然災害や事故は分別しなければなりません。しかしそれらの出来事にすらテロリズム《人為的な破壊工作》の痕跡が窺えるのです。

——輪島市の火災はマウイ島のように指向性エネルギー兵器《DEW》が使われたのではないかと囁かれていますが。

秋嶋　指向性《D》エネルギー《E》兵器《W》と言うと陰謀論の響きがあります。しかしこれは、タレス、ロッキード・マーチン、ＢＡＥシステムズ、キネティック・グループ、レイセオン、ボーイングなどの軍需企業によって開発された実在の兵器です。指向性《D》エネルギー《E》兵器《W》は今や兵器産業の目玉であり、５年後に市場規模は１７４億ドル（約２・６兆円）を超えると予測されています。

——とっくに実用化されていたのですね。だからマウイ島の大火災でも、それが使われたのではないかと噂されたわけです。

秋嶋　先住民が多く住む一等地でスマートシティ《情報管理都市》の建設構想がぶち上げられ、立ち退きが難航していた矢先の出来事でした。しかもその翌日に保険会社が「保険の対象外である」と宣言し、直後に被災者の携帯に不動産会社から土地の買い取りオファーが殺到したのです。また不思議なことに、木々やアスファルトに（延焼の痕跡となる）焼け焦げはなく、富裕層の邸宅は無傷であるのに対し、地上げの対象と思しき家々はピンポイントで狙われたかのように焼失しています。しかもこのような現象が4箇所で同時に起きていたのです。

——輪島市もスマートシティ《情報管理都市》計画が構想されていたから陰謀が囁かれているのでしょう。

秋嶋　『帝国論』の著者であるA・ネグリは「過渡期の国家権力はショック・セラピーを行う」と語りました。やはり衝撃的な事件の背景には、必ずと言っていいほど経済的な動機があるのです。だから我々は「行動ファイナンス」から今回の事件を捉えなければなりません。「行動ファイナンス」とは、人間はカネ儲けのためなら何でもやるという前提に立ち、金融や投資の視点から物事を考察するという意味です。

——全てをキャッシュの流れから考えなくてはいけないということですね。

秋嶋　関連のないバラバラの出来事に関連があると思い込む心理バイアスを「錯誤相関」とか「アポフェニア」と言います。特に僕のような社会問題を分析する作家は、そのような傾向がないか、徹底して自己モニタリングしなくてはなりません。それを自戒した上で言いますが、やはり一連の出来事は日本の体制変化《レジーム・チェンジ》を目的化している、としか思えないフシがあるのです。

——パニックの連続によって国民の恐怖を煽り、政府に服従させる狙いなのでしょう。

秋嶋　仮にそのような企図がなかったとしても（偶然の連続だとしても）結果としてそうなるのです。繰り返しますが、続発する事故や災害《コンティンジェンシー》は絶対に政治利用されるのです。

――ＳＮＳでも政府が災害を口実に改憲を発議するのではないかとの警戒感が高まっています。反政府活動はこれから活発化するでしょう。

秋嶋　しかし政府はそれに言論統制で対処する構えです。

――そこら辺を詳しくお願いします。

秋嶋　「新型インフルエンザ等対策政府行動計画」の改正で、政府がＳＮＳを常時監視し、プラットフォーム企業に「偽・誤情報」の削除を義務付けることが盛り込まれます。そうやって、政府に不都合な情報をデマとして扱うことで封殺する目論見なのです。

――政府は本格的な言論弾圧に乗り出そうとしているのですね。

秋嶋　この法案の最大の問題は「一体どのような機関が情報の審議判定《ベリフィケーション》を担うのか」という点です。しかし、どんな立場の者たちが、どのような基準で、虚偽と事実の線引きをするかが、全く不明なのです。仮に有識者会議のようなものが発足するとしても、政府の息のかかった連中が、政府の方針通りに見解を出すことは分かりきっています。

——政府やマスコミが誤情報の発信源なのに、ＳＮＳの発信をデマ扱いにして取り締まるという。全くふざけた話です。

秋嶋　そもそも科学的な事実とは「真理の候補の集合」に過ぎないのです。何が真理であるかは、高度に学術的な審級を要するのです。〈常識〉が根こそぎひっくり返されることが、科学の世界では頻繁に起きているわけです。ヘーゲルはこれについて「真理とは運動である」と語りました。つまり物事は時間で濾さなければ、虚偽か事実か分からないのです。だからこそ、真偽の裁定に権力を介入させてはならないのです。

——異論ありません。原発事故が起きた当時、政府とマスコミは安全を繰り返していました。しかし実際は核燃料が溶け出し、手が付けられない状態でした。コロナワクチンも接種の開始当初は絶対安全だと喧伝されましたが、人類史上最悪の薬害をもたらしています。

秋嶋　ファクトチェック《真実検証》の世界基準として、①非党派性、②公正性、③情報源の透明性、④財源と組織の透明性、⑤正確性の判定、⑥明確で正確な訂正、などが挙げられます。

――しかし日本にはこの要件を満たす第三者機関などありません。

秋嶋　こうしてファクトチェック《真実検証》の基準や、裁定者の帰属が全く示されないまま、公共の言論《SN》空間《S》が規制されようとしているのです。公権力が真偽の一切を判定するという恐ろしいことになるのです。

――言論統制が一挙に加速することは間違いないでしょう。日本は戦時の暗黒国家に逆戻りします。

秋嶋　つまりこれはX、YouTube、Facebook、note、TikTok、Line に跨る「メディア横断的な検閲」であり、表現の自由を保障した憲法第21条2項に触れる違憲行為なのです。言い換えると、「それが嘘であるという告発」を無効化させる政府の戦略です。つまりこの弾圧法は、言論を標的にする国家のテロリズムなのです。

人権も生存権も液状化した

――6年前の対談でZ・バウマンの「リキッドモダニティ《液状化現代》論」を枠組みに語って頂きました。今回は〝その後〟ということで、日本の液状化問題を論じて頂きたいのですが。

秋嶋　真っ先に挙げられるのは政治の液状化です。例えば、昨年《2023》の臨時国会でも、今年《2024》の通常国会でも、改憲問題が全く取り上げられませんでした。つまり自民党の改憲案が統一教会の改憲案のカーボンコピー《複写原稿》であること、緊急事態条項により基本的人権が無効になること、などの問題が全く議論されなかったのです。

――改憲問題が裏金問題にかき消される格好でした。

秋嶋　そうやって最も重大な問題が国政から排除されたのです。つまり平和憲法が戦後最大の危機を迎える局面で、政治家の誰一人として、改憲の危険性を国民に訴えなかったのです。

――国会は優先度の低い問題ばかり取り上げていました。そのように批判されても仕方ありません。

秋嶋　繰り返しますが、国民投票は有権者ではなく投票者の過半数で成立する「絶対多数制」です。つまり国民投票が実施されると１００％改憲されるわけです。ところが、このような投票制度《レファレンダム》の詐欺的な仕組みが全く指摘されていないのです。

――普段「９条を守れ！」とワーワー騒いでいる共産党もその問題をスルーしています。彼らも本気で改憲を阻止しようとは思っていないのでしょう。

秋嶋　つまりこの状況は左翼の液状化を示唆しているのです。護憲や平和に取り組むというリベラル像は、もはや「政治的イマジナリー（観念としてあるだけで実際には存在しないもの）」なのです。

――野党は国民投票法の改正にも協力しました。これによって投票前ＣＭが解禁され、莫大な広告費を擁する改憲派が圧倒的有利になりました。

秋嶋　自民党は70年以上に渡り電通と親密な関係を結んでいます。05年の郵政選挙からは、外資系ＰＲ会社プラップジャパンにも協力を仰いでいます。同社が得意とするマーケティングミックス（新聞やテレビなどの旧メディアにＳＮＳなどの新メディアを交える宣伝手法）によって改憲派が主流になることは間違いありません。

――新聞各社も「改憲賛成が過半数」という世論調査結果を頻繁に報じていますが、これは事実上の改憲広告と言っていいでしょう。

秋嶋　世論調査という体裁のパブリシティ《記事体広告》です。これが醸《かも》す「バンドワゴン効果」によって、すでに改憲賛成が趨勢《すうせい》です。つまり「どうせ投票するなら勝馬に乗ろう」という心理作用によって、改憲派が多数派になっているのです。

――もはや戦時下の昭和と同じです。マスコミは大本営化し、政府の広報に成り下がっています。もっともずっとそうだったわけですが、その傾向が顕著になっています。

秋嶋　この状況を「広告による全体主義（宣伝で成り立つ専制体制）」と言います。つまり報道の液状化によって、日本はファシズム化しているのです。

――権力と報道が癒着すれば、どれほど恐ろしいことになるか、歴史が証明しているのに。

秋嶋　パーティー券の裏金で莫大な脱税をした政治家は殆ど起訴されませんでしたが、これは検察の液状化と言えるでしょう。

――コロナワクチンの薬害を起こした製薬会社も、それを認可した厚労省の担当者や、ワクチン担当大臣も逮捕されていません。

秋嶋　要するに司法が液状化しているわけです。このようなナチス的な無法の体系を「無国《ビヒモ》家《ス》」と言います。繰り返しますが、今の日本の状況はヒトラーが政権を取った当時のドイツと瓜二つなのです。

——まさに「歴史は繰り返す」という言葉通りの状況です。

秋嶋　このような中で、ファ〇ザー社はターボ癌の治療に高度な技術を持つ米国のシージェン社を買収しました。これがどういうことかと言うと、コロナワクチンによって薬害を引き起こし、その治療薬を販売するというマッチポンプをやっているわけです。製薬産業は数ある産業の中で最もＲＲＩ（責任ある研究とイノベーション）を重視すべき立場なのに、彼らは正反対のことをやらかしているのです。

——病気の原因を製薬会社が作って、その治療薬でさらに儲けるという。よくもまあそんな酷いことを思いつくものですね。

秋嶋　これはまさに「加速主義」の純化です。「加速主義」とは、どれほど酷いことになっても企業や投資家の利益を最大にすべきという方針です。現代の世界経済はこのような過激《ラディカリズム》思想を軸に動いているのです。

——コロナワクチンによる史上最悪の薬害は、そんな思惑によって引き起こされているわけだ。

秋嶋　本来であれば国は薬害を引き起こした巨大製薬会社《メガファーマ》に徹底抗議しなくてはいけません。ところが政治家も官僚も、多国籍な医産複合体に絡め取られ、全く声を発しないのです。それどころか製薬会社に莫大な助成金を支給し、続々とワクチン工場を操業させています。つまりこの国の政府は「製薬利権の虜《ファーマシューティカル・キャプチャー》」と化しているのです。こうして国民の健康と生命を守るという国家の機能が液状化しているのです。ひいては国民の生存権が液状化しているのです。

——まさに日本社会の全面で液状化が進行しています。この国の何もかもがドロドロに溶け出しています。

秋嶋　学識者や、作家や、アーティストもこのような医薬品利権《ヘルスケアシステム》の中で骨抜きにされています。反抗の旗手たるべき者たちがその矜持を失い、時代の神経としての役割を放棄しているのです。つまり日本の知性と文化が液状化しているのです

——異論ありません。御用学者、御用作家、御用アーティストばかりです。

秋嶋　しかし一番不甲斐ないのは国民です。所得の半分を搾取され、毒ワクチンを接種され、挙げ句に平和憲法を解体される瀬戸際においてすら反抗しないのですから。すなわち日本人の実存が液状化しているのです。

全ての権力の癒着を証明する事件であること

――検察はたった3人の国会議員を起訴することで裏金事件に幕を引きました。この事件が発覚した当初から、秋嶋さんは「必ず有耶無耶《うやむや》に終わる」と語っていましたが、その通りの結末です。

秋嶋　この事件の報道の一切は「誤謬推理《ごびゅうすいり》」に基づいていました。「誤謬推理《ごびゅうすいり》」とは、もっともらしいけれど検証に乏しい誤った仮説という意味です。

――どこが誤りなのか解説をお願いします。

秋嶋　報道は検察を政治家の犯罪を取り締まる「対抗権力」に位置づけていました。しかし、東京地検はＧＨＱに設立された隠匿退蔵物資事件特捜部を母体としています。つまり検察は在日米軍直属の組織であり、（田中角栄、小沢一郎、鳩山由紀夫などの独立派を弾圧した通り）反米勢力の台頭を阻止するための装置なのです。別の言い方をすれば、検察は日本の政界の反逆や独立運動の芽を摘み取る治安装置《セキュリティ》なのです。

――確かに疑獄事件で逮捕されるのは左派《リベラル》ばかりです。アメリカの方針に逆らう政治家は片っ端から粛清されています。

秋嶋　そもそも検察が統一教会と深い関係にある自民党の政治家を逮捕することは絶対あり得ないのです。

――検察も統一教会と関わっているのですか？

秋嶋　検察庁には統一教会系の検察官が推定１００名在籍しています。安倍晋三と昵懇《じっこん》だった黒○元検事が、その内部グループの領袖《りょうしゅう》であったことは、つとに知られています。

――つまり検察庁もカルトに汚染されていると。

秋嶋　検察のトップである検事総長も、法務大臣も、日米合同委員会で選出されます。しかも委員会の議長には歴代の統一教会幹部が抜擢されています。つまり在日米軍の下で、検察と、司法と、カルトは一体化しているのです。

——検察も支配勢力とズブズブの関係というわけですね。

秋嶋　だから一連の裏金報道はこのようなメタ・ガバナンス《超越的な支配の枠組み》を全く考慮していないわけです。少し難しい言い方をすると「認知的複雑性（物事を多角的に捉えて評価する度合い）」を著しく欠いているのです。

——全ての権力が繋がっているということですね。

秋嶋　在日米軍、多国籍資本、カルト、検察庁、裁判所などの連合による独裁体制が出来上がっているわけです。これを政治学で「ハイブリッド権威主義」と言います。「混成体制のファシズム」とも言います。

――どのように裏金問題を総括すればいいのでしょうか？

秋嶋　一連の騒動は超危険な法案の審議を隠すためのスピンだったのです。これについては、後ほど詳しく説明します。にもかかわらず、政治の流れを変える（腐敗政治を浄化する）好機であるかのような錯覚が生じていたのです。

――むしろ麻生派が安倍派に取って代わったことで、より危険な状況になったのではないでしょうか。

秋嶋　麻生派の「志公会」からは鈴木俊一、河野太郎、武見敬三、伊藤信太郎らが大臣に就任しています。彼らのいずれもが日本会議もしくは神道連盟の所属で、自民党憲法改正実現本部の中心メンバーです。ところが安倍派の一掃に熱狂する人々は、このようなリスク・トラップ（安倍派と麻生派が入れ替わっても改憲という同じ結果に導かれる罠）に全く気づいていないのです。

――裏金事件は日本を民主化させるどころか、逆に軍国化へ加速させる契機となったわけだ。

秋嶋　ところでイタリアのロベルト・スペランツァ元保健大臣が、コロナワクチンで膨大な超過死亡が生じたことを受け、殺人容疑でローマ検察庁に捜査されていることをご存知ですか？

――そんなことが起きているなんて、全く知りませんでした。

秋嶋　日本でも接種後の死亡者は２０００人を超え、心筋炎、脳梗塞、心筋梗塞、歩行障害などの後遺症が激増しています。救済申請はすでに１万件を超え、審査に１年以上を要する事態です。

――薬害は収まるどころか、ますます酷くなっているわけですね。

秋嶋　殆ど報道されませんでしたが、５種混合ワクチン（ジフテリア、百日せき、破傷風、ポリオ、ヒブ）の定期接種化も決まっています。厚労省はこれで感染が抑えられると言いますが、混合数が増えるほど副反応や後遺症のリスクが高まることには全く触れていません。また政府は次の追加接種に備え４００万本のレプリコンワクチンを購入していますが、これは従来型よりも強力なシェディング（接種者からワクチンの成分が発散される効果）が指摘されています。こうして研究者が「生物兵器」と揶揄《やゆ》するシロモノを国民に接種しようとしているのです。

――危険性が指摘されるワクチンの接種を中止しないどころか、真逆に強化するという。この国は本当にイカれています。

秋嶋　病院関係者によると病理検査（手術のために患者から組織を採取する作業）が40％も増加しているそうですが、おそらくその多くは癌手術の前措置でしょう。

――そんなことが国会で全く取り上げられないのは異常です。

秋嶋　コロナワクチンによる薬害は、すでに薬害エイズや薬害イレッサの被害を圧倒的に上回っています。だから本来であれば、検察は歴代のワクチン担当大臣を業務上過失致死傷罪で起訴しなければなりません。ところが検察は起訴どころか家宅捜査すらしようとしないのです。

――この国では犯罪者が大手を振って歩いている。犯罪者が野放し状態ということです。

秋嶋　そのような一端からも、検察が正義の組織ではなく「権力政治」の道具であることが窺えるのです。「権力政治」とは支配層が自己利益のために行う政治という意味です。

――それでも国民は、三権は分立し、国会議員と検察庁は対立するものだ、と教科書通りに信じています。

秋嶋　あらゆる対立は虚構であり、政治と検察も不分離一体なのです。つまりこの国の権力は癒着し、完全に協働組織化《コンソーシアム》しているのです。なのに国民はその認識が全く覚束ないのです。「二項対立という概念が現実性を打ち消す」というデリダの言葉の通り、人々は擬《ス》制《テレオタイプ》の対立に幻惑され、全体論《ホーリズム》的な考察を見失っているのです。

「党国体制」という日本のファシズム

――ここで裏金事件をざっと整理しましょう。安倍派の議員たちが四半世紀にわたり、一定額を超えるパーティ券の売上を、各自のキックバックとして受け取っていた。そしてそれを政治資金収支報告書に記載せず、約5億円を着服していた、というあらましです。結果として誰一人引責辞任せず幕引きとなりました。

秋嶋　国税局の告発を受け検察が捜査に踏み切った場合、起訴される確率は70%位です。つまり本来であれば大半が起訴されるわけです。しかしそうならないよう、検察と政府との間で、入念に調整が図られていたわけです。

――裏金事件も統一教会事件と同じように有耶無耶にされました。

秋嶋　総理大臣、国家公安委員長、歴代の大臣、現職の閣僚、野党の幹部までも統一教会《カルト》から選挙や金銭の支援を受け、政策協定を結んでいた、という日本の憲政史上最悪の事件すら忘れ去られています。つまり国民が忘れることによって体制が保たれているわけです。これが「忘却の政治」です。こうして重大な問題がことごとく失念されるため、いっこうに悪が正されないわけです。

――おっしゃる通りです。もはや統一教会事件は話題にすら上りません。

秋嶋　大衆は常に新しい刺激を求めます。だからどれほど重大な事件も、時間が経つと「古いネタ」でしかなくなるのです。つまり新聞テレビが新たなトピックを投下すると、人々はそれに耳目を奪われ、先の問題に関心を持たなくなるのです。このように日本社会は「メディア効果論」のモデルさながらの状況なのです。

――重大な問題を忘れるように仕向けられているけど気付いていない、ということですね。

秋嶋　国民は情報采配者《ゲートキーパー》であるマスコミに操作されているのです。新聞テレビが裏金問題に触れなくなると、裏金問題が解決されたかのように錯覚し、脱税した政治家たちが何ら処罰されない、という矛盾を考えなくなるのです。

――すでにそのような状況です。マスコミが目まぐるしくニュースを入れ替えるので、国民は政治家の巨額脱税事件を忘れています。

秋嶋　それが「三次元的権力」の作用です。何が問題であるのか考える意欲すら失わせる超越的な権力が在るのです。

――政府が国民に忘れて欲しいもう一つの重大問題が薬害です。

秋嶋　しかしコロナワクチンを推進したのは与党だけではありません。立憲や、維新や、共産などの野党も「ワクチンを急げ！」と言って推進しました。だから野党は自民党と一致協力して、薬害問題を国政から排除しているわけです。こうして与野党は「刎頸《ふんけい》の交わり」とでも言う目的団体的《アソシエーティヴ》な関係を結んでいるのです。

――与野党がズブズブに癒着し、薬害そのものをないことにしているわけですね。

秋嶋　コロナワクチンによって日本の多党制（与野党が対立する体制）は完全に瓦解したのです。少し難しい言い方をすれば、与野党はコロナワクチンを共同で推進したことで「横断的相互関係（共生的相互関係）」に収斂《しゅうれん》したのです。

――このままだと改憲も与野党の談合によって決まるでしょう。

秋嶋　文化庁によると日本の宗教の信者数は合計で1億８１００万人です。もちろんこれはかなり盛られた数字ですが、創価学会だけで８００万世帯を超えることからすれば、改憲を目論む宗教連合は１０００万人規模の組織票をまとめられるわけです。やはり国民投票は、このような「集合的基盤」を持つ改憲派が１００％勝利するよう設計されているのです。にもかかわらず、この問題を指摘する野党は一つもありません。政教分離問題に触れる野党も皆無です。

――今や全ての野党が偽装野党化している、と言っても過言ではないでしょう。

秋嶋　野党は重大問題を全く取り上げません。例えば、汚染水に膨大な放射性核種が含まれること、ＯＤＡなどの海外支援が累計で２００兆円を超えていること、潜在的国民負担率が62％を超えたことなど、政権の致命傷になる問題を扱わないのです。このように国会とは談合の劇場なのです。

――論戦らしい論戦が全くないですからね。与野党が質疑と答弁の原稿を読み合っているだけです。しかしここまで癒着があからさまになると、支持者の不信感が募ります。

秋嶋　そのため立憲・共産・社民は急速に支持を失っていました。しかし裏金問題で与党を叩くことで、ある程度それを取り戻したわけです。つまり政治倫理審査会で「やってる感」を出すことで、支持率を回復できたわけです。

――たしかに裏金問題で野党が与党を攻撃することで、野党の支持者は「よくやっている」と勘違いしました。

秋嶋　もはや野党に「牽制《けんせい》機能」などないわけです。「牽制《けんせい》機能」とは与党の不正義を追及する機能という意味です。

――そう言われても仕方ありません。現に野党は薬害についても完黙状態です。

秋嶋　野党は従来型よりも毒性が強いと指摘されるXBBワクチンや、レプリコンワクチンの問題にも一切言及しません。このような「新興リスク（従来の社会になかった新しい危険性）」の周知に全く取り組もうとしないのです。

――「たしかな野党」を自称する共産党もダメですか？

秋嶋　共産党の系列に「全日本民主医療機関連合（通称民医連）」という組織があり、約1600の医療機関がこれに加盟しています。そして、ここでもコロナワクチンを接種しています。つまり共産党も薬害事件の加担者なのです。だから共産党は薬害問題を追及した地方議員を「党議拘束に反した」として除籍処分にしたのです。

――「選挙で政治を変えよう！」と言いますが、これでは選挙をやっても意味がありません。

秋嶋　与野党が等質化し政策差がなくなった「閉鎖的権威主義体制」では、仮に政権が交代しても、自民党と同じ体制になることは、先の民主党政権（菅政権や野田政権）で証明されています。つまり野党が議席を伸ばしても、同じ支配に回収される仕組みが出来上がっているわけです。認め難いことですが、これが「党国体制（民主制を建前とする独裁制）」という日本のアポリア《解決困難問題》なのです。

◉第2章

グローバルな独裁の時代

「白人特権」がコロナワクチンを推進する

——秋嶋さんは海外に滞在しておられますが、外国在住の日本人は今の母国をどのように捉えているのでしょうか？

秋嶋　同じです。在留の日本人と話しても、架橋不能な通約不可能性（世界認識のズレから対話が噛み合わないこと）を感じます。彼らの情報源も日系の新聞やテレビですから、国内在住者と変わりません。つまり原発事故が亢進している件や、薬害が深刻化している問題や、改憲が差し迫っていることなど、全く理解していないわけです。

——情報源が同じだと当然そうなるでしょう。

秋嶋　ここでも「構成主義」的な現実を思い知らされたのです。「構成主義」とは、簡単に言うと、事実によってではなくマスコミによって国民の認識が作られると見る立場、という意味です。

――みんな自分の考えを語っているつもりでも、新聞やテレビの受け売りをオウム返しに言ってるだけですからね。

秋嶋　予先概念（世間に蔓延っている画一的な認識）を断つことを「認識論的切断」と言います。しかしそれを他者に促すことは、自分が実践するよりもずっと難しいのです。ちなみに僕は社会学作家という肩書ですが、コロナワクチンを打たないよう家族や友達を説得することすらできないわけです。歴史学者のフェーヴルは現代を「意志障害の時代（問題を理解していながら一体どう対処していいのか分からない時代）」と称しましたが、自分もまた途方に暮れる群れの一人なのです。

――それにしても国民は危機感がありません。改憲問題についても全くと言っていいほど関心がありません。

秋嶋　「非政治主義的な態度《アポリティシズム》」が完成しているわけです。要するに日本人は、政治よりも芸能やスポーツに関心を持つよう仕向けられているのです。こうしてナチス的な憲法が制定される次元においてすら、政治に無関心であるという異様な精神圏が生じているのです。

――コロナワクチンによる健康被害も深刻化しています。

秋嶋　医薬品副作用被害救済制度の申請件数はコロナ禍前の30倍にも達しています。そのために厚労省は、審査部会を3つに増やす対応を迫られていました。

――一部マスコミも報道を始めました。だんだん薬害が隠しきれなくなっています。

秋嶋　京大の福島雅典名誉教授が「コロナワクチン後遺症」と題した調査報告をまとめ、帯状疱疹、リウマチ、血管系障害、脳梗塞、心筋炎、心筋梗塞などが激増していると発表しました。こうして被害の実態が一般にも知られつつあるのです。

――これだけ死亡が増えると、さすがに国民も気付きます。

秋嶋　「共変関係」という言葉があります。これは、ある行為に伴ってある現象が増減するという意味です。コロナワクチンの接種の度毎に死亡者数が増加しているわけですから、両者の相関は明らかです。

――政府は御用マスコミを使って必死でそれを隠してきたわけです。

秋嶋　「ワクチンの情報提供に資するための国民の認識や意向に関する情報提供資材制作」という長ったらしい名称で、厚労省がステマ《秘密宣伝》を発注していたことが暴露されています。そうやって著名なユーチューバーたちが厚労省からカネを貰い、ワクチンは安全だという番組《コンテンツ》を作って配信していたわけです。

――ちなみに諸外国はどのような状況なのでしょうか？

秋嶋　アイスランドは突然死、脳卒中、血栓症、心停止などが激増したことからコロナワクチンの接種を禁止しました。フィリピン政府は26万人の超過死亡の原因調査に取り組むと発表しました。スロバキアは事故の多発を受け「ＷＨＯパンデミック条約は貪欲な製薬会社のプロジェクトであることから批准しない」と声明を発しています。すでに日本でも超過死亡が激増しています。だからただちに政府はコロナワクチンの接種を中止し、実態調査や被害者の救済法案の整備に取り組まなくてはなりません。

——ところが政府は今後も継続する方針を打ち出しています。頭がどうかしている、としか言いようがありません。

秋嶋　花王、富士フィルム、ヤマサ醤油、明治、リコー、味の素などが、コロナワクチンとその原材料の工場を建設していますが、これらの企業はいずれも国から莫大な助成金を支給されています。つまり、コロナワクチンの増産が国策化されているわけです。

——これではますます薬害が広がります。取り返しがつかないことになるでしょう。

秋嶋　恐ろしいことは製薬会社がこぞって、mRNAやレプリコンなど、いわゆる遺伝子操作型のワクチンを製造することです。多くの研究者がこれにより薬害がさらに増加すると警告しているのに、官民一体でそれを大増産する計画なのです。

——そんな重大な問題が報道もされない。国会でも取り上げられない。日本はとんでもなくイカれた国になっています。

秋嶋　これまでインフルエンザワクチンは約1億8000万回の接種で死亡者数は4名です。これに対しコロナワクチンは約1億9000万回の接種で354名が死亡しています。つまり90倍の薬害が生じているのです。もっともこれは厚労省が渋々認めた数字で、超過死亡から推計すれば、実際の被害はさらに二桁多いのです。にもかかわらず未だ国会議員が中止を議論しないのは、一連の薬事行政が宗主国《アメリカ》に主導されているからです。

——にわかには信じられない話ですが事実です。これから日本でコロナワクチンの工場を操業する製薬会社の殆どに米国系の資本が入っていますから。

秋嶋　「虚実の自由の檻で彼らを飼う。そして3S（セックス、映画、スポーツの3本を柱とする愚民政策）により現実を不明にさせる。病気にさせ生かし続けることで利益を得る。これが戦勝国の権利である」というトルーマンの占領方針《ドクトリン》が実践されているのでしょう。つまり一連の行為の根底には強烈な「種差別（日本人を人間と見なさない差別意識）」があるのです。だとすれば、この巨大薬禍は「ホワイト・プリビレッジ《白人の支配特権》」の所産なのです。

戦争とワクチンという人類共通の脅威

――「日・ウクライナ経済復興推進会議」が東京で開催されました。２００社を超える多国籍企業が参加したとのことですが。

秋嶋　官民一体でウクライナの再生に取り組むという建前でしたが、実際は参加国の企業に復興事業を入札させるための会合だったのです。

――秋嶋さんは、ウクライナ戦争が勃発した当時から、これがＮＡＴＯの公共事業戦争だと指摘していましたが、どうして分かったのでしょうか？

秋嶋　開戦の一週間前から、軍需企業上位５社（ＢＡＥシステムズ、タレス、ラインメタル、ロッキード・マーチン、ノースロップ・グラマン）の株価が軒並み上昇していたからです。またこれと同時にアメリカのゼネコン株も急騰していました。これはイラクの侵攻作戦の時と全く同じ動きです。

――そこら辺を詳しくお願いします。

秋嶋　アメリカはイラクを攻撃し、インフラを破壊し、資源を奪い（油田をシェブロンを始めとする欧米メジャーの傘下に組み込み）、復興事業をベクテルやハリバートンなどの自国のゼネコンに独占受注させました。これと同じようなプロセスでボロ儲けする魂胆が、株価の動きから読み取れたのです。

――いつの時代も戦争は経済的な目的のため仕掛けられるわけですね。それにしても、なぜ日本で復興会議が開催されたのでしょうか？

秋嶋　ウクライナ戦争の後始末を日本に押し付けるためです。ウクライナは債務が開戦前の4倍近くに達しています。そのため、穀倉地帯の8割以上を欧米のアグリ企業に売却しました。しかしそれでも返済が追いつかず、世界銀行からの借り入れを余儀なくされ、日本がその保証国にされたわけです。今回の会議はその一環です。

――日本人がウクライナ戦争の尻拭いをさせられるという。全くふざけた話です。

秋嶋　世界銀行の融資はウクライナの社会保障費にも充てられます。日本の国民年金の月額はせいぜい6万円程度ですが、そんな国が保証国になって、年金を代理払いするという不条理なのです。

――開いた口が塞がらないとはこのことです。日本では70歳を過ぎた高齢者が、低年金のため肉体労働を余儀なくされているのに。

秋嶋　最初から日本を保証国にする魂胆だったのでしょう。要するにウクライナ戦争が仕組まれた時点で、ＮＡＴＯ《北大西洋条約機構》は戦費や諸々のコストを日本に肩代わりさせることを企てていたのです。ウクライナの復興には70兆円以上を要しますが、復興会議のホスト国である日本が、この多くを負担することは間違いありません。仮に円借款の形が取られるとしても、後に債権放棄となり大半は返済されないでしょう。

――日本はATMにされているわけです。全く国辱的な状況です。

秋嶋　繰り返しますが、日本が復興費を負担することは既定路線なのです。今回の会議はそれが「各国の代表者の話し合いで決まった」という既成事実を作るためのセレモニーだったのです。

――これまで日本はウクライナに2兆円近く送金していますが、今後は復興援助という名目で、その何十倍ものカネを毟り取られるわけですね。

秋嶋　イラク戦争の終結後にバグダッドで開催された復興会議では、ブッシュ政権の閣僚が（彼らのスポンサーである）エネルギーやゼネコン各社の代表を引き連れて乗り込みました。「日・ウクライナ経済復興推進会議」でも同じような顔ぶれが並び、日本が拠出する復興費に群がったわけです。こうしてヒルシュの言う「国家の民間化」が戦争経済の次元で現れているのです。

――しかし、言わずもがな日本が求められる復興費の原資は国税です。

秋嶋　ウクライナへの支援で、国民の負担はますます大きくなります。それだけでなく、今年《2024》から金利の引き上げにより、国債の償還費が毎年10兆円増えます。またこども家庭庁の設立と、防衛予算の引き上げにより、政府コストはさらに10兆円規模で嵩みます。だから国民負担率はすぐに60％を超えるでしょう。こうして日本人の債務奴隷化が加速度的に進行しているのです。

——そんなことが全く報道されません。政府とマスコミが癒着しているからどうしようもありません。

秋嶋　このような中で「国立健康危機管理研究機構」が発足します。これは要するにアメリカ疾病予防管理センター《CDC》の日本支部です。

——コロナは2類から5類に引き下げられました。明らかに収束傾向なのに、なぜそんなものを作るのですか？

秋嶋　今後継続的にプランデミック《人為的疫病》を引き起こす計画なのだと思います。ワクチン工場が続々と建設されていることを述べましたが、米国系のファイザーやモデルナの工場も操業予定です。つまり日本版ＣＤＣは、コロナワクチンの消費と生産を促す司令塔として創設されるのです。

――ＷＨＯのパンデミック条約や国際保健規則《ＩＨＲ》改定なども、そのための手段なのでしょう。

秋嶋　「新型インフルエンザ等対策政府行動計画」の改定案が成立していますが、これは、内閣の独断により（科学的な知見や分析を抜きにして）緊急事態宣言などの「強度の高い措置を講じること」を可能にするものです。つまり御用マスコミが感染者数をでっち上げ、政府がそれを根拠に緊急事態を宣言すれば、たちまちワクチン接種を義務化することができるわけです。

――要するに、事実上のワクチン強制法案なのですね。

秋嶋　ＶＡＥＲＳ（米国ワクチン有害事象報告）によると昨年《２０２３》末時点で、ワクチンが原因と見られる全米の死亡者数は約３万７０００名、重篤者は約２万１０００名、流産は約５０００件、心臓発作は約２万１０００件、心筋心膜炎は約２万８０００件、帯状疱疹は約

1万6000件に達しています。

——にもかかわらず政府はワクチン接種を強制するという。全く狂っています。

秋嶋　グローバリズムとは、世界の勝者集団《1%》が結託して敗者集団《99%》を搾取する体制を意味します。このように戦争とワクチンという二つの視点から俯瞰すれば、越境的に権力が交歓し国民の生命財産を奪う「グローバリズム全体主義」の亢進が見て取れるのです。これがまさに人類が直面する共通の脅威なのです。

なぜ日本は「便利なバカ」と揶揄されたのか

――秋嶋さんが予測した通り、ウクライナの復興会議で日本は莫大な負担を求められました。

秋嶋　住友商事、川崎重工、クボタ、ヤンマーを筆頭に80社の企業が復興事業を請け負います。しかし、これは公正な国際入札による「アンタイド援助」ではなく、政権の紐付き企業に独占的に業務を受注させる「タイド援助」なのです。

――外国からの参加企業も各国政府の息がかかった企業ばかりでした。

秋嶋　つまりこの会議は「援助協調（複数のドナー国が協調して行う援助）」の体裁で、参加国の政治家に手数料《キックバック》を配分するための儀式だったのです。もっと言えば、ウクライナの復興という名目で、日本の社会資本を収奪するための会合だったのです。

――やはりウクライナ戦争はＮＡＴＯ《北大西洋条約機構》国の公共事業戦争だったわけです。

秋嶋　外国を援助する際には、政府と被援助国との間で諸条件を記した「交換公文《E/N》」が交わされます。そしてそれに「グラント・エレメント」という借款の利率や返済期間などの詳細が記されます。しかしこれらの取り決めは、被援助国の財政状況によって頻繁に変更されるのです。だからウクライナへの援助も、支払い猶予や、債権放棄などが繰り返され、大半は返済されないと思います。

――日本側の拠出額は明らかにされていませんが、途方もない額に上ることは間違いないでしょう。

秋嶋　そもそも援助は今回だけにとどまりません。ウクライナの社会保障費6兆円の内（ＥＵが2兆円を負担し）日本が毎年4兆円を負担し、最終的には50兆円以上を送金すると予測する専門家もいます。

――こうしてウクライナ戦争の莫大なコストが日本国民の負担になるわけです。

秋嶋　対外援助における食糧など必要最低限の物資のカテゴリーを「基礎生活分野《BHN》」と言います。しかし当の日本では子ども食堂が９０００箇所を超え、都内の炊き出しには長蛇の列ができるほど飢餓が広がっています。それを差し置いて外国の支援を優先するというのです。

――完全にイカれています。もはや日本は狂人国家と言っても過言ではありません。

秋嶋　これが宗主国《アメリカ》の命令であることは間違いないでしょう。やはり日本は「疑似主権国家」なのです。今なお日本国内には１００箇所以上も米軍基地が置かれている通り、戦後からずっと占領統治が続いているのです。戦勝国である彼ら《アメリカ》が内政も外交も決定しているのです。

――反米的なことを言うと国策捜査で潰されますから、政治家は怖くて逆らえないのでしょう。

秋嶋　ウクライナは日本の財政支援で浮いたカネを兵器の購入に充てます。これにより米国の軍需企業はもとより、ドイツのラインメタル社、イギリスのＢＡＥ社、スウェーデンのサーブ社なども莫大な利益を上げるのです。繰り返しますが、この戦争が計画された時点で、戦費と復興費を日本に負担させることがシナリオ化されていたのです。全ては「世界軍事秩序」の枠組みで進行しているのです。

――軍需産業を推進する国際的なネットワークが構築されているわけですね。日本はその格好のカモにされています。

秋嶋　ウクライナの復興という名目で、社会資本（国民が納税したカネ）が吸い上げられ、それが軍需産業の利益となり、そこから各国の投資家に配当されるという図式《シェーマ》です。これが「軍事的グローバリゼーション」の概観なのです。

――そのために日本国民は重税を課され、社会保障や、医療や、文教の予算を削られます。

秋嶋　だからロシアの外務省局長は日本を「便利なバカ」と揶揄《やゆ》したのです。日本が莫大なカネを毟り取られることになるのに、国会議員は揃ってゼレンスキーのオンライン演説にスタンディング・オベーションしていたわけですから。かくして日本は世界でも稀に見る重債務国家になるのです。財務省は潜在的国民負担率が62％を超えたと宣言しましたが、これは要するに国民資産を収奪する宣言だったのです。

――マイナンバーと口座の紐付けや新札の切り替えは、資産課税の前準備だと考えて間違いないでしょう。

秋嶋　これは憲法第29条に記された財産権の侵害です。つまり明らかな違憲行為です。だから合憲にするために改憲を急いでいるのです。このような視点からすれば、改憲は「軍事的グローバリゼーション」を推進するため、日本の代行支配者に「物権（財産を支配する権利）」を与えるための手続きだと分析できるでしょう。

――現に先の終戦後には戦時国債の償還のため資産課税が強行されました。その焼き直しの政策が実施されるわけですね。

秋嶋　しかしこの国の財政状況《ファイナンススケープ》は、それでも全く不足であることを示唆しているのです。

——そこら辺を詳しくお願いします。

秋嶋　特別会計の国債費は１９０兆円という天文学的な額に膨張し、もはや増税や資産課税だけで賄える状況ではありません。こうなると預貯金以外の国民資産を奪うしかないのです。もっとはっきり言うと年金の積立金を没収するしかないのです。

——となると、ワクチンがその手段ということでしょうか？

秋嶋　受給者を処分することで年金積立金という国民の金融資産を国家資産に転化し、それを国債費や防衛費などに充てる計画だと思われます。たとえその企図がなくとも、結果としてそうなるでしょう。

——集団接種を開始して以降、超過死亡は増加の一途ですが、政府は中止を言いません。それどころか接種策を強化しています。その主たる動機は何かということですね。

秋嶋　支配層は国民を徹底的に削減する計画なのです。これが今という状況から導かれる強い仮説です。未曾有の多死現象はまさにそのアウトカム《確かな成果》であり、表象性（データから導かれる仮説に矛盾がない証拠）なのです。かくして戦争、海外援助、薬禍、財政というバラバラの出来事が整合的に文脈化され一つの絵《アーティフィス》に収斂するのです。

「生政治」から「死政治」へのシフト

――これほど薬害が深刻化しているのに、コロナワクチンを追加接種する人がいることに驚きます。

秋嶋　ノーベル賞効果も大きいでしょう。「コロナワクチンの開発者がノーベル賞を受賞した！」とマスコミが派手に報道したから、それに促されて接種しているわけです。こうして国民は被説得性（マスコミに説得されやすい傾向性）に付け込まれているわけです。

――日本人は騙されやすいですからね。新聞やテレビが煽れば、その通りに行動します。

秋嶋　ノーベル賞報道はマスコミを大動員した「戦略的説得工作《ストラテジック・コミュニケーション》」なのです。薬害イレッサや薬害エイズの3倍を超える犠牲者が生じていながら、未だ多くの人々が自ら接種に臨むという錯乱は、これが奏功しているからなのです。

――その中心はリテラシーに乏しい高齢者です。マスコミ以外に情報源のない層を、わざと狙っているわけで極めて悪質です。

秋嶋　だから僕はこの状況に、年金とリンクした政府の意図（むしろ殺意）を感じるのです。

――そこら辺りを詳しくお願いします。

秋嶋　ＧＰＩＦが運用する２００兆円の年金積立はトータルで黒字だと喧伝されています。しかし、年間の支払総額からすれば僅か3年分でしかありません。すでに年金は積立方式から、（現役世代から取り立てた保険料をそのまま給付に充てる）賦課方式になっていますが、要するに自転車操業なのです。もっと言えば、年金機構はネズミ講化しているのです。だから徴収が滞るとたちまち破綻するわけです。すでに国民年金は１２００億円規模の赤字を計上していますが、株価が暴落すれば厚生年金も支給が難しくなるでしょう。

――政府は天下りや外国の支援に何百兆円も注ぎ込んだ。年金の給付に回すカネにも手を付けてしまった。なのにこれから防衛費を倍増させて、アメリカから兵器を大量に購入しなくてはならない。だからワクチンで受給者を処分する目論見ではないか、ということですね。

秋嶋　特別会計の国債費は190兆円に膨張しています。その上日本はウクライナの保障国となり、同国がデフォルトとなった場合、世界銀行に代理返済しなければなりません。いくらカネがあっても足らないわけです。

――ウクライナの債務はどの位なのですか？

秋嶋　200兆円規模に膨らんでいます。そのためウクライナ政府は国有資産を片っ端から売却していますが、戦争が長期化していますから、返済はまず無理でしょう。

――アメリカがウクライナに傀儡政権を作って引き起こした戦争なのに、日本人がそのコストを払わされるという酷い話です。

秋嶋　ちなみにフランスは海外県（旧植民地の13カ国）から今なお年間50数兆円を搾り取っています。そしてアメリカも日本の金融市場や労働市場（派遣社員からのピンハネ）を通じ、それに匹敵するカネを搾取しています。こうして日本の「分配政策（税金を公正に再配分して豊かな社会を作る取り組み）」が無化されているのです。だから日本は30年以上も衰退し続けているのです。

――天文学的な政府債務の膨張もそれが原因でしょう。ちなみに３００兆円のコロナ対策費が計上されたにもかかわらず、国債の発行総額は依然として１３００兆円と発表されています。本来であれば１７００兆円位になっているはずです。これはどういうことでしょうか？

秋嶋　コロナ対策費の多くが財投債によって捻出されたためだと思います。財投債とは普通国債（赤字国債や特例国債）とは別勘定の国債です。

――つまりコロナ対策費は簿外債務化されているわけですね。

秋嶋　恐ろしいことに、グロス債務が１７００兆円規模に膨張したことで、政府は１４０兆円規模の借換債を毎年発行し続ける羽目になりました。「日銀が紙幣を刷って返せばよいのだ」というバカみたいな理屈が流行っていますが、償還費は国税以外にありません。借換債を発行したところで、国税で償還するから同じです。だから大増税が宣言されているのです。

――ワクチンと、年金と、財政問題がどうリンクするのか、ここでもう一度整理して頂けますか。

秋嶋　国債の90％以上を所有する市中銀行の大半は外資化しています。日銀も例外ではありません。つまり日本の国債は実質として外国債（外国からの借金）なのです。だから当然政府は諸外国から返済計画《リペイメント・プラン》を求められます。もっと言えば、外国の債権者集団から「どのような手段を講じてでも、必ず国債の元本金利を支払え」と命令されるわけです。

――ワクチンで年金受給者を処分して、浮いたカネを国債の支払いに充てる目論見じゃないかと勘繰りたくもなります。

秋嶋　いずれにしろ、これほど財政が逼迫した状況では、社会保障費を全面削減しなくてはなりません。ぶちまけて言うと、政府は国民が年金を受給する前にドンドン逝って欲しいわけです。これが分析的リアリズムです。

――これほど被害が出ているワクチンを7回、8回と打ち続けて、長生きできるはずがありませんからね。

秋嶋　ジャック・アタリは「日本は年金制度を見直すのではなく、人口削減に政策をシフトし、社会の均衡を保とうとしている」と語っています。

――まさに日本の現況を言い当てています。もっともかなり婉曲でソフトな言い回しですが。

秋嶋　政府はこれほど超過死亡が生じながら、中止や見直しを言うのではなく、今なお追加接種を呼びかけています。そしてさらにＷＨＯのパンデミック条約に加盟する目論見です。こうなると接種の義務化は避けられないでしょう。

——とんでもないことが進められているのですね。

秋嶋　こうしてこの国は「生政治《ビオポリティクス》（国民の生命を管理する政治）」から「死政治《ネクロポリティクス》（国民の生命を奪う政治）」にシフトしているのです。これは言い換えると「死資本主義《ネクロキャピタリズム》（人間の死によって利潤を得る資本主義）」の実践です。我々はかつて経験したことのないエポック《新時代的》な脅威を目の当たりにしているのです。

植民地の悲劇としての薬禍

——それにしてもコロナワクチンの開発者がノーベル賞を受賞したというニュースには驚かされました。なにせこのワクチンの接種を開始して以降、世界中で事故が激増しているわけですから。

秋嶋　スイスのバーゼル大学病院は、ブースター接種した35人に１人が心臓を損傷していると発表しました。アメリカの生命保険会社の統計によると、コロナワクチンの接種以降、米国では18歳〜49歳の原因不明の死亡が40％増加しています。癌患者に至っては３００％も増加しています。

——日本でもコロナワクチンの遺族会が結成されるほど薬害は深刻化しています。

秋嶋　だからこのような「ハイリスク薬（多くの有害事象が認められる薬品）」の開発者にノーベル賞を授与するなんて全くキチガイ沙汰なわけです。この狂愚はいずれ医療人類学の研究課題になるでしょう。

――これを社会学的にどう分析しますか？

秋嶋　今回のノーベル賞騒動は世界的な薬害を隠蔽すると同時に、ワクチン接種を推進するための「アカデミック・マーケティング《科学者を利用する宣伝》」です。別の言い方をすれば「研究不正」による大掛かりなプロパガンダです。

――ワクチンの宣伝のために世界で最も権威のある賞が利用されたのですね。

秋嶋　そもそもノーベル財団は、ダイナマイトの特許で莫大な富を築いたアルフレッド・ノーベルが、節税のために設立したものです。つまりノーベル財団とは、超が付くほどの「戦争利得者」が、そのイメージの払拭と税金対策のために作った組織なのです。５万発以上の爆撃によって無辜《むこ》のアジア人を殺戮したバラク・オバマにノーベル平和賞が授与されましたが、今度はウクライナ戦争の戦犯であるゼレンスキーにそれが授与されようとしています。要するにノーベル財団とはダヴォス《超富裕》階級の利権調整団体なのです。

――陰謀論ではなく、現実として世界的な支配層のネットワークがあるわけです。

秋嶋　アメリカの国立衛生研究所が「コロナパンデミックは歴史上最も操られた感染症イベントであり、政府、官僚、医師会、メディア、国際機関が共謀する公的な嘘である」と告発しました。このようなことが漏れ出したことから、モデルナやファイザーの株価は50%も急落したのです。そんな中でmRNAワクチンの開発者がノーベル賞を受賞したというニュースは、株価回復の絶好の材料《ネタ》になったわけです。

――やはりコロナ禍は各国の政府とマスコミによるデッチ上げだったのですね。

秋嶋　コロナ騒動とは製薬会社と金融業者がボロ儲けするための疾病喧伝《ディジーズ・モンガリング》だったのです。今回のノーベル賞はそれを誤魔化すためのステルス・マーケティング《事業者表示のない宣伝》なのです。現にファイザー社は、ノーベル賞の受賞者を審査するカロリンスカ研究所に多額の寄付をしています。こうして賞を授与する側と、授与される側がズブズブに繋がっているのです。

――これはもうヤラセ以外の何ものでもありません。

秋嶋　我々はこのような現実を原理論的に把握しなければなりません。やはりカネの流れが世界の解読原理なのです。

――なのにノーベル賞報道を受けて追加接種する人が後を絶たないという。

秋嶋　みんな「権威による説得」に騙されているのです。つまり権威を盲目的に受け入れる性向《ブラインド・フェイス・オーソリティ》に付け込まれているのです。このような広報戦術は「権威への隷属（肩書を信じブランドに弱い傾向）」が強い日本人には特に有効なのです。

――国民は新聞やテレビをこれっぽっちも疑いませんからね。

秋嶋　ヒトの行動はマスコミや政府の広報によって決定されると見る立場を「制度主義」と言いますが、今の日本はまさにそれを実証しています。

――すでに日本では４億回も接種が繰り返されています。これから大変なことになるでしょう。

秋嶋　恐ろしいことは、今回のノーベル賞報道によってコロナワクチンの「忍容性（副作用をどの程度まで許容できるかという観念）」の議論が吹き飛ばされたことです。こうして慎重論が不在のまま、ＸＢＢワクチンやレプリコンワクチンが続々と認可されたのです。

――ＷＨＯのパンデミック条約の加盟が迫っています。そうなると接種が義務化されるだけでなく、反対意見を発信することすらできなくなります。

秋嶋　すでに生後６ヶ月から４歳までの乳児や子どもにもコロナワクチンが接種されていますが、これは「付庸国《ふようこく》（属領として扱われ主権が認められない国）」である日本がアメリカに追従を強いられた格好なのです。つまり無謀な薬事行政の基層には「帝国主義的従属」が在るのです。

――アメリカの対日外交によってコロナワクチンの接種が推進されてきたわけですね。そしてそれにより途方もない被害が生じています。

秋嶋　ところが製薬会社は家宅捜査もされず、歴代の担当閣僚は誰一人起訴されていません。薬害は膨大な犠牲者をもたらしただけでなく、「調整的正義（犯罪者に罰を与え被害者に補償することで利害得失を平等にする原則）」すら消失させたのです。

――昔はもっとマシというか、司法がある程度機能していたように思うのですが。

秋嶋　薬害エイズ事件では、ミドリ十字の3人の経営陣の責任が問われ、最高裁で有罪が確定しています。非加熱製剤の回収を命じなかった厚生省の責任者も、業務上過失致死罪で有罪が確定しています。しかしコロナワクチンの薬害はアメリカの主導によることから（最高裁のトップが日米合同委員会から送り出されることから）有責者は誰一人処罰されないでしょう。

――宗主国《アメリカ》の命令でやったことだから、裁判所が目こぼしする手はずなのですね。

秋嶋　すでにこの国では「依法性の原理《リーガリティ》」が消滅しています。こうして我々は越境する「属性的権力（圧倒的な軍事力や金融力を背景とする権力）」に脅かされているのです。つまりこの薬禍は植民地の悲劇なのです。

◉第3章

差別と暴力の資本主義

国民は躾けられた犬に例えられる

——いよいよ改憲の発議が迫っています。

秋嶋　にもかかわらず、改憲草案が統一教会によって起草されたこと。戦争放棄や基本的人権など、平和憲法の骨子となる条文が削除されていること。天皇の元帥化、国防軍の創設、普通選挙の停止、内閣独裁が盛り込まれていること、などを周知する政党が皆無《ゼロ》なのです。

——令和の大政翼賛会が出来上がっているのに、国民は全くそれに気付いていません。

秋嶋　今の日本は、大衆社会の本質が極めて鮮明化しています。つまり国民がマスコミに操作される傾向がより強くなっているのです。そしてそれによって重度の「ポリティカル《政治的》・アパシー《無関心》」が生じているのです。

——立民、社民、共産などの公式ＳＮＳを半年ほど遡ってチェックしてみましたが、改憲の問題点に言及した発信は殆どありませんでした。

秋嶋　野党が改憲派に与していることを物語っているわけです。これはもう実質の一党独裁体制ですから、日本の権威主義尺度《ファシズム・スケール》は最大値を示している、と言っても過言ではありません。

——裏金事件も改憲問題から国民の注意を逸らすための仕込みだったのでしょう。あれほど大騒ぎしたのに、会計担当者に帰責して全てが片付けられました。

秋嶋　そういうのを「スケープゴート・メカニズム」と言います。まさに彼らは現代の「供犠《きょうぎ》（体制の生贄《いけにえ》）」なのです。

——国民は政治倫理審査会という茶番にまんまと騙されたわけです。それにしても、改憲に口を閉ざす政治家の卑劣さには憤りを覚えます。

秋嶋　或る活動家はこの状況にたまりかねて国会門前に出向き、各党の議員一人ひとりに「改憲の発議が迫りながら、なぜこの問題を広く国民に訴えないのか」と質問をぶつけました。ところが誰もが彼の訴えを無視し、その場をそそくさと立ち去ったのです。

――自公の政治家はもちろん、立民、社民、共産などの議員も同じ対応だったそうですね。

秋嶋　「横暴な与党に対抗する野党が在る」とか「護憲政党は憲法を護る」というメタ物語（絶対の常識とされる概念）はとっくに失墜しているのです。つまり我々の社会は「信憑性構造（誰もが絶対として疑わないこと）」が崩壊したポストモダン社会に突入しているのです。

――これまでの常識や観念が全く通用しない世の中になっている。なのに国民はそれに気付いていない。古い認識の枠組みで物事を見ている。だから何が起きているのか分からない、というわけですね。

秋嶋　国民は与野党が対立するという認識を改めなくてはなりません。はっきり言いますが、〈悪の与党／正義の野党〉という二項コードは擬制《つくりごと》です。みんな騙されているのです。「単純化による盲目」という言葉はこのような状況を示唆しているのです。

――「与党VS野党」という勧善懲悪的なドラマ仕立ての筋書きで政治を考える方が楽なのでしょう。

秋嶋　もっと突っ込んで言えば、政党支持が代替宗教化しているわけです。それにより客観的な事実や科学の理説を受け付けないカルト信者と同じ心理構造が出来上がっているのです。こうして「推し政党」にハマることで、致知《ちち》（知識を深め物事を理解する態度）と全く対蹠《たいせき》的な信念が作られているのです。

――だからみんな与野党が通じているという現実を認めないのですね。

秋嶋　ましてポピュリズム政党が席巻する今の状況では、カリスマ的な指導者との心理的一体感や、心理的依存度が高まり、メタ認知することが非常に困難です。つまり、どのような心理的バイアスに陥っているか自己点検することが大変難しくなっているのです。だからこのような一文を読んでも「私が支持している政治家は大丈夫だ」と思うわけです。

――おそらく全ての政党が、日米合同委員会から改憲問題に触れないように命令されているのでしょう。

秋嶋　実を言うと、僕には田中邸の放火事件が「植民地政府に反抗する者にはこのような制裁《ディスインセンティブ》を加える」という見せしめ的なイベントに見えたのです。言い換えると「威嚇《いかく》権力」のメッセージに思えたのです。だとすれば「テロリズム化された社会（恐怖で支配される体制）」がポスト改憲社会に先行して現れているのです。

――国民投票法が改正されましたが、宣伝規制は骨抜きで、投票日の15日前までCMを流し放題です。莫大な広告費を持つ改憲派が圧倒的有利なわけですから、こうなると日本は改憲に一直線です。

秋嶋　改憲CMを受注する新聞社やテレビ局は、広告主《クライアント》である与党に不利なことを報道しません。つまり改憲の問題点や危険性を全く周知せず（改憲によって日本が再軍国化することには触れず）、それどころか改憲によって国民国家の安全が保障されるかのような妄想的イメージを宣伝するのです。

――ＮＨＫも「改憲派が６割以上になった」とか、改憲に誘《いざな》うような報道を繰り返しています。こうした行為は放送法で禁止されているはずですが。

秋嶋　支配勢力はソーシャル・マーケティング《民間の宣伝を政治に応用する技術》を駆使して国民投票に臨むでしょう。だから国民投票を実施すれば、改憲派の圧勝は確実です。これは官民が一体で取り組む「憲政クーデター（平和憲法を破壊する暴力的な政治改革）」と言っても過言ではありません。

――国民は日本が再軍国化することも知らず、国民投票の結果をすんなり受け入れるでしょう。

秋嶋　それがまさに「平均化」の作用です。「平均化」とはマスコミによって思考や意識が同質化するという意味です。ハンナ・アーレントはナチス政権下で条件反射的に躾けられた大衆を「パヴロフの犬」に例えましたが、日本人もそのような事物に還元されつつあるのです。人間の動物に優る特殊的な地位とは思惟《コギト》を有することですが、そんな至高の営為がメディアに抹殺されているのです。

これを「人種偏見に基づく資本主義」と言う

――レプリコンワクチンが認可されました。政府は極少量の接種でも高い効果があると言ってますが。

秋嶋　レプリコンワクチンは短期で開発された試薬同然のシロモノです。これについて免疫学者の荒川央氏は「遺伝子の増殖にブレーキすらなく、それどころか（遺伝子増殖の）アクセルをつけたようなものだ」と批判しています。

――要するに専門家は、これまで以上に薬害が増えると警告しているわけですね。

秋嶋　それだけではありません。レプリコンワクチンは強力なシェディングが指摘されています。シェディングとは、接種者の呼気や汗腺からスパイクタンパク質や酸化グラフェンなどの毒素が放出され、それを吸入した際に、接種したのと同じ症状が出ることです。だとすれば、変異株が増殖しバイオハザード《病原性災害》をもたらす可能性すらあるのです。

――そんなものを認可するなんてイカれています。

秋嶋　ところが厚労大臣は「有害事象の割合はモデルナやファイザーと同じ位であり許容範囲だ」と述べています。つまり「これまでと同じくらい薬害が生じるだろうが政府は関知しない」と居直っているわけです。

――マスコミを抑えているから、どうにでも誤魔化せると高を括っているのでしょう。

秋嶋　阿久根市議会の調査によると、厚労省のコロナワクチンの接種率は10%、国会議員は15%程度だそうです。おそらくＮＨＫの接種率もその位でしょう。つまりワクチンが危険であることを知悉《ちしつ》している彼らは、特権的に接種を忌避しているのです。こうしてエリート《1%》と国民《99%》との間で歪な「生存格差」が生じているのです。

――それにしても国民の健康を守るはずの厚労省が、真逆に国民の健康を害するという信じ難い事態です。

秋嶋　そもそも厚労省は製薬利権の温床なのです。厚労省のＯＢの多くが所轄の製薬会社に天下りしていますが、その中にはファイザーやスミスクラインなど、コロナワクチンを製造するメーカーも含まれています。

――厚労省は製薬会社とズブズブなわけです。だからこれほど薬害が起きているのに、接種の中止を提言しないのですね。

秋嶋　厚労省ＯＢが製薬会社のロビー団体である「日本製薬工業協会」の理事長に就任しています。大阪医薬品協会の理事も、同じく厚労省ＯＢが務めています。製薬業界全体では実に１０００人以上の官僚が再就職しています。

――天下りで得られる莫大な不労所得が、監督官庁の口封じになっているわけだ。

秋嶋　製薬会社は天下りを受け入れることで薬事承認を取り付け、事故が生じた場合は国費で補償するよう求めるわけです。歴史的な薬害事件はこのような互酬関係《クライエンテリズム》によって生じた、と言っても過言ではありません。

――そんな問題を全く報道しないマスコミも加害者です。

秋嶋　イベルメクチンはコロナ感染の予防効果が80％以上も認められ、なおかつ副作用のリスクが低く、しかも特許切れのため安価なジェネリック薬の増産が可能でした。にもかかわらず厚労省がこれに取り組まなかったのは、製薬利権を守るためだと指摘されています。

――それにしても酷い話です。この国の何もかもが腐りきっています。

秋嶋　しかし製薬産業を巡る官民癒着は日本だけではありません。米国でもＦＤＡ《食品医薬品局》の高官がモデルナのコロナワクチンを承認した僅か２ヶ月後に同社の重役に納まりました。当時のＦＤＡの長官もファイザーの取締役に就任しています。このような腐敗的な官民癒着を「回転扉《リボルビングドア》」と言います。

――日本でもアメリカでも、ワクチンの審査は最初から「承認ありき」の出来レースなのですね。

秋嶋　製薬業界はアメリカ議会に猛烈なロビー活動を行い、97年に「食品医薬品管理現代化《FDA》法《M》」を成立させました。これによりFDA《食品医薬品局》の承認審査が超迅速化されたのです。つまり「米国の製薬会社のロビー活動が対日外交の圧力になった。だから政府は緊急承認制度を作り、治験を終えていないコロナワクチンを認可した」という仮説が成り立つわけです。

――その可能性は非常に高いと思います。治験が不十分な輸入ワクチンを続々と認可した背景はそれに違いありません。

秋嶋　いずれにしろ、これほど薬害が深刻化しながら、今なお接種が中止されない事情は、プライベート・セクター《企業部門》とパブリック・セクター《公共部門》が癒着しているからです。まして日本は中央官庁の役人が政治家より権力を持つ官主主義体制です。だから危険性が指摘されるワクチンが、国会の審議を受けずにあっさり認可されたのです。

——それにしても、これほど被害が深刻化しているのに、薬害問題を追及する政党が一つもありません。少し取り上げた政党はありますが、とりあえず言ったという程度で、真摯に追及する政党はゼロです。

秋嶋　このような「政党間に体制論争がない体制《モデレイト・プルーラリズム》」が薬害をさらに拡大させているわけです。

——追及するとブーメランになりますからね。全ての政党が共犯です。

秋嶋　レプリコンワクチンを製造するMeiji Seika ファルマは、米国のアークトゥルス・セラピューティクス社とライセンス契約を結んでいます。これから日本でワクチン工場を操業する製薬会社の大半が外資系です。繰り返しますが、一連の薬事行政は明らかに外資の主導であり、与党も、野党も、厚労省も、彼らの手駒に成り下がっているのです。

——世界的にワクチン市場が縮小する中、外国の勢力は日本を最大の消費地と位置付けているわけですね。カネ儲けさえできれば、日本人がどうなろうが知ったことではないという。

秋嶋　「資本主義は差別主義を構造化している」という言葉の通りです。やはりワクチン・ビジネスの根底には〝日本人を人間と見なさない〟という断固たる人種偏見があるのです。これはまさに現代の「レイシャル・キャピタリズム《人種偏見に基づく資本主義》」なのです。

巧妙に民主主義を装う独裁主義の国家

——立憲民主党の党首・泉健太が、維新の会との連立をぶち上げました。野党第一党が自民党の衛星政党と手を組むというのですから、開いた口が塞がりません。

秋嶋　立民が看板とする立憲主義とは、憲法を絶対とする立場という意味です。改憲勢力である維新との連携は、究極の自己撞着（主張と行為の辻褄が合わない大矛盾）です。ここ最近でも立民は、（自衛隊を実質として米軍の指揮命令下に置く）防衛省設置法改定、軍需産業の国有化、（統一教会が主導した）こども家庭庁の創設、共同親権制度、（政府による国民の身辺調査を合法とする）セキュリティ・クリアランス制度の導入、日本・イギリス・イタリアの三国が次期戦闘機を共同開発するための政府間機関「ＧＩＧＯ《ジャイゴ》」の設立、（国家最大の通信インフラを売り飛ばす）ＮＴＴ法改正などで与党に協力しています。もはや立民に野党としての存在意義《レゾンデートル》は皆無と言っていいでしょう。

——それに気付かない支持者もどうかしています。

秋嶋　立民の背信は今に始まったことではありません。彼らは安倍政権下の２０１４年に防衛装備移転三原則が見直された際、武器輸出の解禁で自民党に協力しています。殺傷兵器の輸出を禁じる「武器輸出三原則」は、憲法の平和理念を重視する三木内閣によって制定されたものですが、立憲民主党がこれを骨抜きにする改正案に加担したことは、戦後のリベラル史に残る巨大な汚点です。

——これでは偽装野党と言われても仕方ありません。

秋嶋　昨年《2023》の通常国会では、自民党が提出した70法案のうち、立民は80%に賛成しています。それ以前の国会に遡っても立民の賛成率は大差ありません。これは自民党の衛星政党である維新の会と僅か数%しか変わらないのです。つまり立民が自民党の補完勢力であることは「数字実証的《ニューメラシー》な現実」なのです。

――しかしなぜ彼らは野党の名に恥じることを平気でするのでしょうか？

秋嶋　政界には巨大なインセンティブ装置（命令に従えばカネと地位を保証する仕組み）があります。これを「報酬権力」と言います。逆に命令に逆らうと、鳩山由紀夫のように国策捜査で政界から追放したり、石井紘基のように暗殺する諸力があります。これを「制裁権力」と言います。そしてこの二つを合わせ持つ権力を「報酬制裁権力」と言います。立民もこれに与しているわけです。

――立民がコロナワクチンの薬害問題には全く触れないのも、そのような事情なのですね。

秋嶋　彼らは申し訳程度に救済法を提出した程度です。被害実態の調査にも取り組まないし、追加接種についても口を噤んでいます。そもそも泉健太や長妻昭は、コロナワクチンの接種の対象を、保育従事者に拡大するよう要請していました。自分たちの責任問題に発展しかねないわけですから、薬害に触れないのも当然です。

――最大野党がこれではどうしようもありません。もはや絶望的な状況です。

秋嶋　立民は護憲政党にして最大野党です。だから本来であれば党を挙げて改憲の危険性を周知しなければなりません。つまり改憲が独裁のツールキットであり、緊急事態条項が発令された時点で民主制が終わることを広く訴え、反対世論を喚起しなくてはならないわけです。ところが、党首、幹部、議員の全員が沈黙しているのです。

――護憲政党が改憲問題を議論しないという。あきれて物が言えません。

秋嶋　立民は自民党を汚染水放出の「過失犯（政策上の注意義務を怠ることで被害を生じさせる犯罪）」として追及しませんでした。それを切り口に自民党を弱体化させ、改憲を阻止することもできたのに、全く取り組もうとしなかったのです。

――その挙げ句に維新の会と連立をぶち上げたという。もうグチャグチャです。

秋嶋　護憲政党である立民が、改憲勢力の維新と組むと言ってるわけです。つまりこれは「党是」の崩壊を意味しているわけです。なのに支持者たちはこの意味が分からないのです。

――これほど立民が裏切り行為を重ねているのに、なぜ支持者たちは支持し続けるのでしょうか？

秋嶋　〈立憲〉という「象徴資本」の作用だと思います。「象徴資本」とは、ブランドが醸すイメージや信頼という意味です。要するに支持者は立憲主義という看板に騙されて、形骸化に気付いていないわけです。だから立民の「転向」が分からないわけです。

――自分が支持する政党の裏切りを認めたくないという心理もあるでしょう。

秋嶋　「合理的非合理性」という心理学用語があります。これは自分の信念を強化する情報は受け入れるが、信念に反する情報は拒絶する傾向という意味です。「信念バイアス」という言葉もあります。これは論理性や実証性よりも、自分の信念にあてはまるかどうかで妥当性を判断するという意味です。いずれにしろ、このような認知の歪みによって、支持者は立民が自公と共謀する現実を直視できないわけです。

――もっとも立民の支持者だけではありません。全ての政党の支持者がそんな心理に陥っています。自分の支持政党が薬害問題を全く取り上げないことをおかしいと思いません。

秋嶋　昨年《2023》の東京都の救急車の出動回数は過去最高の90万回に達しています。救急隊員によると、搬送される人々の多くにコロナワクチン接種者特有の、心肺停止や泡沫状の血痰などの症状が見られるそうです。やはり物凄い規模で薬害が広がっているのです。

——これほどの大問題が全く報道されないという。本当に恐ろしいことです。

秋嶋　今や日本の超過死亡者数は広島と長崎の原爆の犠牲者数、東京大空襲の犠牲者数、東日本大震災の犠牲者数の合計を軽々と上回ります。パレスチナ問題が取り沙汰されていますが、この薬害は戦争も比肩《ひけん》し得ないほどの大惨事に発展しているのです。

——立民だけでなく、社民、共産、れいわもこの問題を無視しています。

秋嶋　彼らもこの制度犯罪の加担者なのです。このように全ての政党がメタ的な権力の下で糾合され、タイポロジー《政党の方針の違い》が消え失せているのです。

――現に与野党が一体になって改憲を進めています。もはや日本はとてつもなく危険な状況です。

秋嶋　この国の「分極的多党制（与野党が対立する体制）」はあくまで建前です。本当の体制は「民主主義を装う権威主義（あたかも健全な政党間競争があるかの如く振る舞う一党独裁）」であり、これがまさに非公知（一般に知られることのない様式）で未出の問題なのです。

人間のクズが「権力の監視」を自称する

——世界中の国々から非難が殺到する中で、福島原発の汚染水放出が強行されました。今年度《２０２４》は７回に分けて５万４６００トンを放出するそうですが、環境への影響は計り知れません。

秋嶋　すでに中国は日本の水産物の禁輸に踏み切っています。今後こうした措置が各国に広がることから、政府は学校や自衛隊などの給食に転用する方針を打ち出したのです。

——そんなことをすると国の未来を担うこどもや、国防に携わる人々の健康が損なわれます。

秋嶋　この国では人が人であることに狂いが生じているのです。つまり、人間を人間たらしめるもの《フマニテート》が崩壊しているのです。

――本来であれば野党が先頭を切って汚染水問題を追及し、国会の議題にしなくてはなりません。ところが野党は一回目の放出の際に少し騒いだ程度で、二回目以降はスルーです。

秋嶋　野党第一党の党首や幹事長が「処理水は安全だ！」とか、「風評被害だ！」などと喚いて与党を援護しているわけです。この状況からも与野党の癒着《ズブズブ》が見て取れます。

――マスコミは「福島原発の処理水はクリーンで安全なのに、中国が言いがかりをつけている」という論調です。ニュース番組もワイドショー化して、まともな報道がありません。

秋嶋　それを「オフジャンル化」と言います。こうして国民は、汚染水の放出を全く警戒しなくなったのです。学識者も同じです。「コラプソロジー（政治と経済の要因が複雑に絡み合い文明を崩壊させる現象の学究）」に則った知的議論がないのです。

――家族や知人に「汚染水には放射性核種が含まれている」とか言うと変な顔をされますからね。

秋嶋　「象徴的現実」が「客観的現実」に取って代わっているのです。「象徴的現実」とはマスコミが疑似情報《ガセネタ》で作り上げる虚構の現実という意味です。このような意識操作によって原発事故は「終わったこと」にされているのです。

――ＩＡＥＡ《国際原子力機関》は福島原発の汚染水放出に際して、「国際的な安全基準に合致する」というレポートを公開しています。

秋嶋　政府はその謝礼として、ＩＡＥＡ《国際原子力機関》に約１００万ユーロ払ったそうです。そうやって都合のいい文書を「買った」わけです。そもそも一般の科学誌などが論文を掲載する際には、必ず事前に査読を受けます。このように査読を通過したものだけを掲載し、通過しないものは掲載しない規則《ルール》を「アクセプトとリジェクト」と言います。ところがＩＡＥＡのレポートは査読前論文《プレプリント》の体裁すら成していないのです。

——適当なことを綴っただけのシロモノだったのですね。

秋嶋　現にＩＡＥＡ《国際原子力機関》はレポートの内容について「責任を負わない」と明言しています。そもそもＩＡＥＡは原発企業の利害関係者《ステークホルダー》によって構成されています。だから原子力行政に否定的な見解を述べることは絶対あり得ないわけです。

——考えたら分かることですが、国民は考えようともしません。

秋嶋　汚染水にはセシウム１３７、ストロンチウム90、プルトニウム２３９をはじめとする猛毒の放射性核種が含まれています。そしてこれらを濾過できる技術は地球上に存在しません。現に経済産業省はこれらの核種を残存核種（取り除くことができない放射性物質）として認めているわけです。

——除去装置《ＡＬＰＳ》は役立たずなのですね。なのに政府も、東電も、マスコミも「安全」を繰り返しているという。

秋嶋　放射性核種を含む汚染水の海洋放出は、超高度な科学的審級を要する問題です。ところが、そんな手続きを踏まず強行されたのです。学識者がこれを批判しないことは、この国のアカデミズム《科学意識》の腐敗を物語っているのです。

――新聞テレビは東電や政府の主張をそのまま垂れ流すだけで、批判的な報道が皆無です。やはり厳重に報道管制が敷かれているのでしょう。

秋嶋　だから僕はたまりかねて新聞社に抗議しました。「処理水が安全だとかふざけるな！　プルトニウムやセシウムを除去できる技術なんて無いぞ！　海洋が汚染されて、生体濃縮が進んで、健康被害が出るに決まっている！　取り返しがつかないことになるぞ！」と電話でぶちまけたわけです。

――それでどうなりました？

秋嶋　苦情係は「ウチは政府の言うことをそのまま報道しているだけです。それの何が悪いのですか？」と居直るわけです。ムカついたので「そういう風に政府の言い分を垂れ流すことを〝発表報道〟と言う。お前たちのやっていることは戦時中の大本営と同じだ！」と怒鳴ったら、ガチャリと切られました。

――そんなクズたちが「権力の監視」を自称しているわけですね。

秋嶋　恐ろしいことは、マスコミが汚染水問題をミスリードするだけでなく、中国への敵愾心《てきがいしん》を植え付け、正戦論を作り上げようとしていることです。

――まさに「新しい戦前」です。マスコミがその中心的な役割を担っています。

秋嶋　新聞社が政府に言われるまま国民を煽り、中国との戦争を焚き付けた昭和の時代と瓜二つです。まさにファシズムの死灰再燃（一度衰えた勢力が再び盛り返すこと）です。

――軍国化を推進するために、わざと日中関係を悪化させているのかもしれません。

秋嶋　そうやって「中国が日本に敵対する状況では防衛予算の倍増は当然である。政府の方針は正しいのだ」という誤謬《ごびゅう》を植え付けているわけです。もっと分析的に言えば、政府とマスコミは軍需の基幹産業化のため「紛争の固定化（中国との常態的な戦争状況）」を仕掛けているのです。

——新聞テレビは国民の敵だと断言していいでしょう。

秋嶋　このような文化環境の中で「例外者（風潮に流されず理性的に思考する人間）」であり続けることは並大抵のことではありません。確固たる自己を持たなければ、必ず軍国化の風潮《トレンド》に呑み込まれてしまいます。「人間が解放されるためには自らの実存を確立しなくてはならない」という言葉の通り、まず現実と自分の位相を知ることから出発しなくてはならないのです。

悲劇を認識できない時代の悲劇

——原発事故は14年目に突入しました。

秋嶋　しかし原子力緊急事態宣言は発令されたままです。「レベル７」の指標も解除されていません。溶融した燃料は未だ回収の目処すら立っていないのです。

——全く報道されませんが、被災地では健康被害が広がっているのではないでしょうか。

秋嶋　F県では昨年《２０２３》までに３００人以上の子どもが「がん」または「がん疑い」と診断され、内８割が甲状腺の摘出手術を受けました。子どもの甲状腺がんの発症率は50万人に１人程度であることからすれば、どれほど深刻な事態か察せられます。

――そのようなことが問題として取り上げられないのは本当に恐ろしいことです。

秋嶋　数年前まで被災地の病院が、白血病や、癌や、心臓病などの統計を公開していましたが、今やこれらのデータは秘密化されています。だから情報をアップデート《更新作業》できないのです。もし僕が行政に資料の開示を求めたところで、ベッタリ黒塗りされたものが出てくるだけでしょう。

――「福島の児童の疎開請求」が却下されたことも忘れてはなりません。

秋嶋　この判決は明らかに生存権の侵害です。つまり憲法第25条に触れる違憲判決です。3・11以降この国のやることなすこと、全てが違憲だと言っても過言ではないでしょう。だから本来であれば、野党は徹底してこの点を追及し、政府の不正を国民に周知しなければなりません。ところが野党は真逆に与党と共謀し、原発事故の矮小化を図っているのです。「悪政四党（悪虐な政治を行う自民、公明、国民、維新の四党）」という共産党のキャッチが流行しましたが、僕に言わせると、全ての政党が「加虐政党」なのです。

——立民、共産、社民も原発事故の問題を取り上げません。彼らは沈黙することで隠蔽に加担しているわけですから、そのように批判されても仕方ないでしょう。

秋嶋　本来であれば、住民の避難、新ヒバクシャ（被災地住民や復旧作業員）の保障（医療や年金などの厚生）、放射線防御（被災地からの移動や持ち出しの制限）、飲料水や食品の規制、収束作業のための恒久財源の確保、などを国会で徹底的に議論し、法案を整備しなければなりません。ところがこのような取り組みが皆無なのです。

——全ての政党に緘口令《かんこうれい》が敷かれているのでしょう。

秋嶋　ちなみに福島原発の復旧作業は7次から8次企業に下請けされています。だから作業員の健康状態を追跡的に調査することが極めて困難なのです。おそらくこれは政府と東電が、補償を回避するため、意図的に作った仕組みなのでしょう。こうして支配層は作業員を人間廃棄物化することで、原発事故の処理コストを削減しているのです。今や日本は壮絶なインヒューマニティ《残酷で人倫を欠いた行為》の営みなのです。

——マスコミも原発事故の問題を全く扱いません。

秋嶋　それどころかあたかも被災地が復興したかのような報道を繰り返し、御用学者に「放射能の危険性など考えられない。処理水も除染土も無害だ」などと言わせる始末です。こうして国民は放射線に対する警戒を解かれているのです。

――学者が権力に取り込まれてしまったわけですね。

秋嶋　言われた通りのことを語る学者たちを「科学を売り歩く専門家集団」と言います。彼らはカネさえ貰えれば平気で嘘をつくし、偽論文の執筆すら躊躇《ちゅうちょ》しません。今どき新聞やテレビに重用される学者はこの種の人々ばかりです。そうやってマスコミは良心的に真実を語る知識《フィロソーフ》人を排除しているのです。

――国民の99・9%は原発事故は終わったと思っているでしょう。

秋嶋　凄まじい「間メディア・クラック」が生じているわけです。どういうことかと言うと、新聞テレビを情報源とする層《99・9%》と、ネットを情報源にする層《0・1%》との間で、架橋不能な認識の断絶が生じているわけです。言い換えると、日本は「反実在論」的な様相を呈しているのです。つまり我々の社会は、支配層によって与えられた妄想を信じている者と、現実を理解している者とに二分されているのです。

――それにしても国民は、汚染水の放出や、除染土の拡散など、子々孫々にまで及ぶ重大問題に全く無関心です。

秋嶋　「環境倫理（環境に関わる道徳的な規範）」や、「環境正義（人は誰しも安全な環境で暮らす権利を持つという信念）」という概念が消失しているのです。だからそういう問題に思考が及ばないのです。

――そんな言葉を交えた社説もニュース解説もありませんから、国民はそんな言葉があることすら知りません。新聞やテレビは「中国や韓国が嫌がらせで海洋汚染だと騒いでいる」みたいな報道ばかりです。

秋嶋　汚染水の放出や除染土の拡散は、水質汚濁防止法や、放射線発散処罰法などに触れる違法行為です。つまりこれはれっきとした「環境犯罪」であり、「エコサイド《生命環境の破壊》」なのです。こうして我々は生存基盤《サブシステンス》を急速に脅かされているのです。

――元々日本は野蛮な国だったのでしょう。

秋嶋　それが原発事故によって可視化されたのです。徐々に状況が悪化し気づいた時には手遅れになることを「限界超過」と言いますが、汚染水の放出や除染土の拡散は、必ず終末的な結果をもたらすでしょう。

――これほど大きな問題が失念され、語られないことに恐怖すら覚えます。

秋嶋　ある哲学者は「悲劇を喪失した点に現代の特性がある」と語りました。まさに日本の悲劇とは「最悪の原子力災害が亢進する中で人間理性が潰えた」という認識が覚束ないことなのです。

――しかしもはや福島原発事故は日本一国の問題ではありません。

秋嶋　汚染水が海洋放出される今となっては全人類的な問題です。つまりこれは「キャピタロ《資本新》セン《世》（資本の活動がかつてないスケールで地球環境に破滅的な影響を及ぼす時代状況)」という観点から、世界中の知性をフル動員して解決に当たらなければならない問題なのです。

◉第4章

平和国家から戦争国家へ

中国シンガポール方式の監視社会が到来する

――コミュニティノート（Xのポストに貼り付けられる訂正文）が問題化しています。

秋嶋　X社によるコミュニティノートの定義は「誤解を招く情報やデマ情報の拡散を防止するために、ユーザー同士で評価し合ってファクトチェックを行うための機能」です。しかしコミュニティノートが貼り付けられるのは、政府や企業に都合が悪い発信《ポスト》ばかりです。雇われた者たちが組織的に活動していることは明らかでしょう。このようにあたかも中立的な立場で公正な意見を述べているかのように見せかける工作を「ブラック・プロパガンダ」と言います。

――与党の政治家、大企業、官公庁、宗教団体のアカウントには、全くと言っていいほど貼り付けられません。どう見ても不自然です。

秋嶋　「コンテンツ・モデレーション《SNSの監視》」を専門に行う企業があるわけです。アメリカでは、このような活動をする者たちを「雇われた銃砲《ハイヤード・ガンズ》」とか「専門家集団のように見せかける陰謀団《カバール・オブ・アパラント・エキスパート》」と言います。いずれにしろ、コミュニティノートが「営利的媒体《ペイドメディア》」であることは間違いありません。

——一般ユーザーが平日の昼間に、あんな手の込んだ長文を連投できるわけないですからね。

秋嶋　モデレーター《検閲者》たちがデジタルパトロールして、クライアント《広告主》である政府や企業に指定されたトピックを収集します。そしてその中から不都合な発信《ポスト》を選び、それを打ち消す形でコミュニティノートを投稿しているわけです。この作業を「アノテーション」と言います。「コンテンツ・モデレーション《SNSの監視》」の有力企業であるA社の料金表には、これが月額１００万円と記されています。

——それにしてもコミュニティノートの多くはこじつけです。論点をすり替えた支離滅裂なものばかりです。

秋嶋　コミュニティノートには「先決問題要求の虚偽」という誤謬《ごびゅう》法が使われています。どういうことかと言うと、コミュニティノートの内容が正しいと証明されているわけではないのに、「絶対に無謬（間違いのないもの）である」という不当な前提をデッチ上げているわけです。ちなみに薬害問題や政府方針などに関わるコミュニティノートは極めて官僚作文的です。つまり公務員特有のレトリックが散見されるのです。おそらく何割かは官庁から下された文面の代理投稿ではないかと思います。

——彼らが証拠とするソースも官公庁のものが多いです。

秋嶋　その意味において、コミュニティノートは極めて「自己言及《セルフ・リファレンス》」的です。

——そこら辺りの詳しい説明をお願いします。

秋嶋　例えばワクチンを安全だと主張する厚労省が、その根拠として外部の科学者集団《アカデミック・コミュニティ》ではなく、厚労省の部会の見解を示すという具合です。あるいは、福島原発の処理水は安全だと声明する環境省が、その証拠として利害関係者《ステークホルダー》であるＩＡＥＡ《国際原子力機関》の報告書を出すという欺瞞です。政府が重用する有識者会議なども、政府の息がかかった御用学者ばかりです。最初から政府の方針通りの結論を出すことが決まっているわけです。要するに「自《セル》己言及《フ・リファレンス》」とは、自分や身内の理屈を根拠にゴリ押しするということです。

——そう言って頂くと大変分かりやすいです。

秋嶋　コミュニティノートは「自己言及《セルフ・リファレンス》」の最たるものです。つまり彼らの主張は発注元である企業や官庁のデータを典拠とし、真偽判定《オーセンティシティ》の基準を著しく欠いているわけです。

——コミュニティノートの殆どは政府や企業の擁護です。客観性も公平性もあったものではありません。

秋嶋　その意味でコミュニティノートは権威主義的とも言えます。早い話、体制や権力にべったりということです。

——弊社の広報にもコミュニティノートが頻繁に貼り付けられますが、それを書いたとおぼしき工作員の罵詈雑言が常にセットで投稿されます。

秋嶋　雇われたモデレーター《検閲者》たちが、そうやってコミュニティノートを補強する形で書き込んでいるわけです。もっとも彼らの最大の目的はSNSで噴出する体制批判《カウンター・ナラティヴ》を封じ込めることです。だから、コミュニティノートが貼り付けられる情報ほど信頼性が高い、という逆説が成り立つわけです。

——コロナワクチンと超過死亡を関連付ける発信には、くまなくコミュニティノートが貼り付けられています。

秋嶋　パンデミック条約や国際保健規則《IHR》改定の危険性を訴える投稿も攻撃されています。ターボ癌がワクチン誘発性急速転移癌だとする医師や研究者の投稿も徹底的に否定されています。コミュニティノートの資金提供団体《スポンサー》の一つが製薬会社であることは間違いないでしょう。

——政府や企業が言論に介入しているわけです。これがエスカレートすると大変危険です。

秋嶋　WHOのパンデミック条約の批准や、国際保健規則《IHR》の改定が決まると、加盟国政府はワクチン政策に反対する発信の検閲が義務化されます。そうなると政府は取り締まりのため、監視業務を民間にアウトソースします。つまりコミュニティノートの制作を請け負っている企業が、今度はサイバー警察として検閲を代行するわけです。

――自民党がDappiの会社にカネを払っていたことが暴かれていますが、おそらくコミュニティノートにも、内閣官房機密費などの公的な資金が流れているでしょう。

秋嶋　だとすれば、これは憲法第21条2項に記された「検閲の禁止」に触れる違憲行為です。検閲という言葉には、政府当局が出版物《コンテンツ》を事前に取り締まることだけでなく、事後的に訂正・削除するという意味も含まれるのです。すでに事実上のSNS規制法が成立している通り、日本の検閲国家化が完成しつつあるのです。コミュニティノートの氾濫は「サイノフューチャリズム《中国やシンガポールのような監視国家の未来》」の到来を示唆しているのです。

世界の軍需企業が日本に集結する理由

——重大な問題を何一つ議題にしない異常な国会が続いています。そこで国会が本来取り上げるべき問題を、ざっとまとめて頂けますでしょうか。

秋嶋　コロナワクチンの接種が開始されて以降、厚労省の認定分だけで薬害エイズの3倍以上の被害が生じていること。円が物価ベースで50年前の水準にまで暴落していること（それによりあらゆる産業のコストが跳ね上がり、国民の暮らしや経済が危機的状態であること）。福島原発の汚染水放出が、途方もない環境の悪化をもたらしていること（それにより諸外国から天文学的な賠償金を請求されかねない事態であること）などの問題が全く議論されていません。

——しかし国会から排除された重大問題はそれだけではありません。他にもたくさんあります。

秋嶋　ウクライナが債務不履行《デフォルト》となった場合、保証国である日本は莫大な債務の代理返済を迫られること。WHO《世界保健機関》のパンデミック条約の批准が進められていること（接種の義務化により薬害がさらに拡大しかねないこと）。安倍政権以降２００兆円を超えるカネが海外支援に使われているのに、今後は支援要請がない国にもカネが送られること（そのため日本の社会資本が枯渇し大増税が実施されること）などの問題も全く取り上げられていません。

——差し障りのないことばかり議題にして、お茶を濁しているわけです。まさに「国会のプロレス化」です。改憲問題も無視されています。

秋嶋　自民党の改憲案が統一教会によって起草されたものであること。それが人権の撤廃や政教分離の骨抜きを謳い、内閣独裁を骨子とする危険極まりないものであること。また国民投票が組織票を持つ改憲派が圧勝するよう設計されている問題も議題にされていないのです。

――これでは一体何のための国会なのか分かりません。

秋嶋　よくよく考えなくてはならないことは、政党が改憲問題に触れないことで、支持者たちの間で「改憲はそれほど重大な問題ではないのだ」という錯覚が生じていることです。つまり支持者は支持政党に議題設定《アジェンダ・セッティング》されているのです。

――みんな自分の支持政党が取り上げない問題は大した問題ではないと思っていますからね。

秋嶋　こうして「支持することで生じる盲点」が生じているのです。しかしそれを自己認知できないわけです。

――それにしても与野党の癒着は目に余ります。

秋嶋　与党と野党は共同でワクチン接種を推進したわけです。そしてその結果、未曾有の薬害事件が起きてしまった。何度も言いますが、これが公《おおやけ》になれば、与党も野党も業務上過失致死傷罪に問われます。だからこれまで以上に談合関係を強化しているわけです。こうして「政治的ハイブリッド化（異なる党派がズブズブに癒着する体制）」が進んでいるのです。

――薬害によって与党と野党が一蓮托生の仲になったわけですね。もっとも政治倫理審査会の茶番で、そんな実態も徐々に可視化されつつありますが。

秋嶋　ワクチンと超過死亡との関連を否定し続けてきた国立感染症研究所の責任者が、一転してこれまでの主張を翻《ひるがえ》し、「超過死亡の原因がコロナワクチンである可能性は否定できない」と発言しています。こうなると野党にとっても情報統制が喫緊の課題になります。だから与野党が共謀して「公益を損なう言論は認めない（政党を批判する発信者を処罰する）」という条文を盛り込んだ新憲法を制定するのでしょう。

――現に立民も、社民も、共産も全くと言っていいほど緊急事態条項の危険性を訴えません。

秋嶋　「赤旗」を見ても（組織票を持つ改憲派が１００％勝利するという）国民投票の欠陥に

言及した記事は掲載されていません。改憲案の骨子が内閣独裁であることについても触れていません。あれほど普段「9条を守れ！」と喚いている共産党が、改憲発議が迫る中で、これらの問題をスルーしているわけです。そもそも共産党も自民党と一緒になってワクチンを推進して、その結果未曾有の薬害を起こしたのに、説明責任を全く果たしていないのです。

――こうした野党の振る舞いを見れば、野党が国民の味方ではなく、支配の一極だと容易に理解できるのですが。

秋嶋　先ほどの話でも出ましたが、防衛装備移転三原則は与野党の談合で骨抜きにされました。これは要するに、日本の軍需企業が各国の軍需企業と兵器を共同開発し、「装備品」という名目で輸出するための措置です。こうして戦争産業を推進するために、与野党の政治家がフル動員されているのです。つまり与党も野党も戦争産業の下請けとなり、翼賛議会が出来上がっているのです。

――昭和の戦前を彷彿とさせる恐ろしい状況です。なのに野党が軍国化の防波堤だと誰もが信じて疑いません。

秋嶋　「認知的均衡」という心理学用語があります。これは、物事の認識を変えることに生理的な不快感が生じるため、従来と同じ認識にとどまろうとする心理的なバイアスという意味です。みんな「野党は平和のために努力している」という信念を変えたくないわけです。だから思考が働かないのです。

――現実は与野党が手を携えて戦争国家に突き進んでいるのに。

秋嶋　ちなみに今後5年で防衛費が43兆円に引き上げられますが、これに伴い各国の軍需企業が続々と日本に集結していることをご存知ですか。

――全く知りません。新聞もテレビも報道しませんから。

秋嶋　すでにイギリスのＢＡＥシステムズが、アジア統括機能をマレーシアから日本に移設しています。米国のロッキード・マーチンもアジア拠点をシンガポールから日本に切り替えました。同じく米国のハリス・テクノロジーズ、フランスのタレス、トルコのＳＴＭも日本に支社を設立します。つまり日本は世界中の軍需産業から兵器の大市場《マーケット・プレイス》になると目されているのです。我々は日本が平和国家から戦争国家に変移するという現実の「景観修正」を迫られているのです。

「資本主義リアリズム」という現代の恐怖

――薬害が大変なことになっています。

秋嶋　コロナワクチンによる被害は、過去45年間の全ワクチンの被害（予防接種健康被害救済制度が適用された１５１人の死亡者数）を僅か3年で上回りました。

――薬害イレッサや薬害エイズ事件の被害を、これほどの短期間で超えたわけです。

秋嶋　だから本来であれば、先の二回の国政選挙は「争点投票」にすべきだったのです。つまり野党は薬害の実態を広く訴え、このまま接種を続けるのか、中止するのか、それを争点にして投票を呼びかけなくてはならなかったのです。

――野党は薬害問題を争点にして選挙を戦えば楽勝だったのに、あえてそれをしなかったわけですね。

秋嶋　この国は「選挙権威主義体制」なのです。要するに野党は本気で議席を伸ばそうとか、政権を取ろうとか考えていないわけです。そうやって与党と事前に協議した議席配分に収まるよう、差し障りのない公約を並べ立て（与党の致命傷には触れず）選挙に臨むわけです。だから衆院選挙でも、参院選挙でも、補欠選挙でも、薬害や改憲などの重大な問題が全く取り上げられなかったのです。

――そもそも与野党が一緒にワクチン接種を推進したわけですから、争点にできるはずがありません。

秋嶋　世界中で1000編を超えるコロナワクチンの論文が発表されていますが、その大半が危険性を訴えています。

――連日報じられる著名人の訃報の多くも、おそらくそれが原因でしょう。

秋嶋　コロナワクチンの接種が開始されて以降、後天性免疫不全症候群《VAIDS》が激増しています。だからこれにより免疫系が破壊され、癌を始めとする諸々の病気が蔓延している、という仮説が成り立つと思います。

――今や多死現象は日本だけでなく世界的な問題です。

秋嶋　アメリカでも超過死亡が40％近く増加しているし、イギリスでは統計局が死亡者の余りの増加に恐れをなし発表を打ち切りました。接種率が95％を超えるニュージーランドでは、超過死亡が３０００％も増加したと報じられていますが、接種率が低い国では逆に減少傾向なのです。

――もはや多死現象の原因がワクチンであることは明白です。即時に接種を中止しなくてはなりません。

秋嶋　ところが政府はコロナワクチンの接種を見直すのではなく、20箇所近くにも及ぶワクチン工場と関連施設を建設し、国民をその試薬の被験者とする「創薬国家構想」をぶち上げているのです。

――しかしこれに反発する世論が全く盛り上がりません。

秋嶋　国民は新聞やテレビの情報を鵜呑みにして、何が起きているのか自分で調べようとしません。そんな「限定合理性（狭い知識や経験の中でしか考えようとしない性向）」に付け込まれているのです。

――この渦中でWHO《世界保健機関》のパンデミック条約の批准が進められています。

秋嶋　しかしそれは囮《おとり》で、本当の狙いは国際保健規則《IHR》の改定かもしれません。パンデミック条約は加盟国の3分の2以上の賛成を要しますが、国際保健規則《IHR》はその過半数で改定できます。つまり後者のハードルはずっと低いのです。

――国際保健規則《IHR》の改定の骨子を説明して頂けますか。

秋嶋　重要な部分をかいつまんで言うと、第1条、法的拘束力のなかった「勧告」を拘束力のある「義務」にする。第3条、〝人権、尊厳、自由を尊重する〟の条文を削除する。第12条、事務局長にパンデミックを判断する権限を与える。第18条、健康診断、ワクチンパスポート、マスク、接種、治療、追跡、隔離を義務化する。第44条、（ワクチン政策を批判する）SNSを規制する、というトンデモな内容です。

――これはもはやWHOによる世界ファシズム化計画です。ナチスと同じことをやろうとしています。

秋嶋　WHO《世界保健機関》は、ビル&メリンダ・ゲイツ財団、ロックフェラー財団、GAVIワクチンアライアンス（ダヴォス会議のワクチン推進機関）などの出資によって運営される極めて私的な組織です。ぶちまけて言うと、WHOの実体はバチカンと同じアクティビスト《高配当を要求する株主》・ファンド《のための組織》なのです。彼らが目指しているのは人類の保健衛生ではなく投資家の配当利益なのです。

――それがあたかも人道的な国際機関であるかのように振る舞っているわけだ。

秋嶋　事務局長のテドロスには医師資格がありません。つまり国際的な保健機関のトップが、医療や薬品の専門知識を持たないのです。しかも彼は過去汚職で告発されています。このような人物が率いる集団に、国民の生命や健康を委ねることはキチガイ沙汰です。

――このままＷＨＯの思惑通りに事が進めば恐ろしいことになります。

秋嶋　国際保健規則《ＩＨＲ》の改定案では、議決から発効までの期間が2年から1年に短縮されています。だからもし今年の総会で改定が決まると、来年から勧告に従わなくてはなりません。

――となるとワクチン接種がすぐに義務化されるわけですね。従わなければ中国のように強制隔離や移動・外出の制限が課せられるという。

秋嶋　第一三共、塩野義製薬、ＫＭバイオロジクス、（ビル＆メリンダ・ゲイツ財団から出資される）武田薬品などがコロナワクチンの工場を操業しますが、これらの企業は、今後もワクチンの接種を継続し、いずれ義務化するという政府の確約を得ているのでしょう。

――国民の生命や健康より企業や投資家の利益を優先するなんて全く気が狂った話です。

秋嶋　そしてそれに合わせるかのようにCDC《米国疾病予防管理センター》の日本支部が創設されます。すでに内閣感染症危機管理統括庁が発足していますが、これらの組織は多国籍医薬品企業《ビッグファーマ》の需要創造基盤《マトリックス》なのです。ここに人権という概念が入り込む隙間などありません。こうして国民の健康も生命もないがしろにされるのです。これがまさに「資本主義リアリズム（資本主義が破滅的状況をもたらしながら、資本主義以外に選択肢がない現実）」という私たちが辿り着いた現代の陥穽《かんせい》なのです。

擬制の神で国民を束ね戦場に送る

――統一教会に解散命令が下されましたが、どうやら形だけのようですね。

秋嶋　文科省は統一教会を「指定宗教法人」に指定しました。しかし「特定指定宗教法人」に指定しなければ、民事の保全ができないのです。これはおそらく資産移転の猶予を与えるための措置でしょう。だから被害者が賠償請求で勝訴しても、その頃にはめぼしい資産は散逸していると思います。

――被害者を救済するカネが殆ど残らないわけですね。

秋嶋　もし仮に統一教会が解散したとしても、オウム真理教→アーレフのように名称を変え、宗教法人から「権利能力なき社団（税制優遇のない一般の団体）」に登記を変更するだけです。それでも「布施」を「寄付」の科目にすれば非課税にできます。信者からおカネを巻き上げる仕組みも変わりません。実際のところ、今でも集金や合同結婚式などの教会活動は同じように続けられています。つまり統一教会の勢力は全く衰えておらず、共同親権法やこども家庭庁法の成立は、その殷賑《いんしん》ぶりを示したわけです。

——全ては政府と教団の出来レースですね。野党もこの問題を追及しません。

秋嶋　立民、維新、国民などの主要野党の幹部も、統一教会から援助を受けていたから突っ込めないわけです。むしろ与野党合意の下で、教会のダメージが最小となるシナリオが練られていた、と考えるべきでしょう。

——野党は統一教会を解散に追い込むと息巻いていましたが、案の定、トーンダウンからフェードアウトです。それどころか与党に協力して、統一教会の方針通りに改憲を進めています。

秋嶋　立憲民主党の党首・泉健太は２０１７年の毎日新聞のアンケートで「改憲に賛成」と回

答しています。その後も彼は改憲に賛成なのか反対なのか明確に立場を示さず、「立憲民主党は立憲の党ではなく、論憲（憲法改正について議論する取り組み）の党である」などとワケの分からないことを言っています。その挙げ句に（今の憲法は外国に押し付けられた不当な憲法だから独自の新しい憲法を作るべきだという）創憲論を掲げる維新の会との連携をぶち上げているのです。

——幹事長の岡田克也も維新と候補者を一本化するとか、同じ改憲勢力である国民民主と連立すると言っています。最大野党がこれですから、改憲は確定したも同然です。

秋嶋　そもそも泉健太は、岸田文雄が自民党の総裁に選出された際に、「（岸田総理の政策は）立憲とほぼ同じであり連立を組める」などと発言しています。これがどういうことかと言うと、最大野党は完全に与党の補完勢力と化している、ということです。すなわち、すでに日本はナチス的な「ワン・パーティ・ステート《一党国家体制》」なのです。

——現に立民は殺傷兵器の開発・輸出法案でも自公に協力しています。

秋嶋　泉健太は実践倫理宏正会の活動に参加していますが、これには安倍晋三、森喜朗、小泉純一郎など清和会《ネオコン》系の政治家が名を連ねています。また彼は共同親権を推進した「共同養育支援議員連盟」の会長代理を務めていますが、この相談役は元統一教会の顧問弁護士です。つまりこの連盟は統一教会の巣窟なのです。このようなことからも与野党が同じ門閥《グループ》である実態が窺えるわけです。

――だから立民は、改憲草案が統一教会に起草された、という大問題に全く突っ込まないのですね。

秋嶋　与党の「国会対策」とは、ぶちまけて言うと、都合の悪い問題が質疑されないよう、各党にカネをばら撒いて、調整を図るという意味です。要するに「国会対策」とは野党の抱き込み《コウ・オプテーション》です。国会対策委員は、いわば談合係であり、カネをやり取りする窓口の役目です。つまり日本の体制とは、与野党が密室の談合で重大な法案を決める「国対政治」なのです。もっと言えば、日本の政治とは、国会《オモテ》と密室《ウラ》の「ダブル・セッション」であり、後者が本当の議会なのです。政党制や民主制は建前に過ぎないのです。

――「国会対策」のため与野党間で現金《キャッシュ》が飛び交うという話は、村山政権の時に暴露されました。

秋嶋　最近では、元参院議員の平野貞夫氏が、自民党の事務局長時代に内閣機密費から野党に現金を配っていた、と証言しています。今も同じようなことが続いているのでしょう。現に野党は改憲というド級の問題について完黙状態なわけです。与党からカネを貰っていないと言うのなら、改憲や薬害の問題を取り上げてみろという話です。何度も言いますが、もし自公の目論見通りに緊急事態条項が加憲されると、内閣は完全独裁となり、日本はナチスドイツに次いで世界で二番目に授権法（為政者の恣意で運用できる法律）を制定する国になります。にもかかわらず、この問題を指摘する野党は皆無《ゼロ》なのです。

――有権者ではなく投票者の過半数で改憲が決まるという国民投票の問題点についても、野党は口を閉ざしています。

秋嶋　国民投票と憲法改正は同定されます。要するに、国民投票の実施＝平和憲法の解体、ということです。少し難しい言い方をすれば、示差（両者の何がどう違うのかを表す形式）的な議論は成立し得ないのです。

――野党のＳＮＳや機関誌も国民投票の問題を取り上げませんからね。

秋嶋　だから国民はどれほど危険な状況であるのか全く理解していません。こうして日本人は「見当識（自分がどのような状況にあるのか基本的な認識）」を失っているのです。

――一昔前なら軍国化の動きに世論は敏感に反応したでしょうが、今では小さなデモが散発する程度です。国民の反応が鈍過ぎます。民度が猛烈に下がっています。

秋嶋　改憲によって日本が再ファシズム化するという問題が周知されていないからです。だから批判が出来《しゅったい》しないのです。このように大衆の観念を操作する諸力を「構造的権力」と言います。そんな権力の網の目が幾重にも張り巡らされているのです。

――もはやこの国はファシズムに回帰することでしか体制を維持できないのでしょう。

秋嶋　その通りです。日本は再軍国化し、弾圧体制の下で、薬害や、植民地化や、財政破綻や、原発事故をウヤムヤにするしかないのです。そこで登場するのが、創〇学会や、統一教会や、神社本庁などのカルトが連合する政府です。言い換えると、日本は軍国化のために宗教空間化するのです。国のために命を捧げる臣民《ドレイ》を作るには、神という概念の操作が最も有効だからです。こうして改憲と共に「クレリカリズム《政教一致》」の独裁が樹立されるのです。

ガザ地区の人々よりも難民化する日本人

――イスラエル情勢によって、世界は俄然きな臭くなってきました。

秋嶋　ことの発端はハマスの特殊部隊がイスラエルに侵入し、ロケット砲やドローンで大規模攻撃を仕掛けたことです。そしてイスラエルがこれに応酬してガザ地区に侵攻し、今や双方の死者数は4万人を超える勢いです。しかし、よくよく考えなくてはならないことは、ハマスという武装組織が実は西側によって作られたことです。

――ハマスはパレスチナが作ったイスラエルへの対抗組織ではないのですか？

秋嶋　パレスチナ解放機構《PLO》に手を焼いたイスラエルとアメリカが、アラファト議長の失脚と、パレスチナの分断のために作ったのがハマスなのです。その初代トップだったヤシンは04年に暗殺されていますが、彼が西側の代理人であり（イスラエルもパレスチナも末端レベルではガチの殺し合いをやっているものの）双方の上層部は通じていることが、米国のロン・ポール議員や、退官したＣＩＡのアナリストたちによって暴露されています。

――そのような不都合な事実を打ち消すために、陰謀論という言葉を流布しているのでしょう。

秋嶋　パレスチナ問題は、キリスト教文明とイスラム教文明に跨る「組織均衡論（集団は互恵関係で成り立つという論理）」として扱うべき問題なのです。つまりハマスは、イスラム国や、タリバンや、旧ソ連邦や、北朝鮮の金政権などと同じ「ダミー・エネミー《捏造された敵》」なのです。だから今回の戦争のきっかけとなったハマスのテロも、9・11のような自作自演である可能性が高いのです。

――一般の人々には到底信じられない話でしょうが。

秋嶋　これを理解するには弁証法の理解が不可欠です。どういうことかと言うと、支配層は体《テー》制《ゼ》の対立項《アンチテーゼ》を作り、二項を衝突させた後に調和《ジンテーゼ》を導き、発展状態《アウフヘーベン》を築く、というヘーゲル理論の理解なくしては、今起きていることは何も理解できないのです。

——そこら辺をもう少し具体的にお願い致します。

秋嶋　例えば、レーニンとトロツキーに共産主義革命の資金を与え、ソビエト連邦という資本主義の敵を作り上げたことによって、欧米の軍需産業とその株主である金融業が莫大な利益を蓄え、資本主義がさらに発展した、という具合です。

——なるほど。そういう風に説明して頂けるとよく分かります。

秋嶋　イスラム教圏とキリスト教圏の対立という概念も「大きな物語《メタ・ナラティブ》（常識として共有される擬制）」です。ポストモダンとは、このような虚構モデルの上に成る現代の総称であり、全ては両建構造《ヤラセ》なのです。

——知識を持って初めて現実を理解できるということですね。

秋嶋　弁証法というグランド・セオリー《様々な領域に適用できる大理論》はここでも有効なのです。

——米国はイスラエルへの軍事支援を継続する方針ですが、下手をすれば第三次世界大戦に発展しかねません。

秋嶋　「充足理由律」という言葉があります。これは物事には必ずそれを現象させる背景や動機があるという意味です。米国はこの戦争の介入によって、自国の金融、軍需、エネルギーの諸産業に莫大な利益を還元する狙いです。そして日本はそのコストの負担を求められ、我々国民が納税で支払うことになるのです。直接的な支援という形を取らないとしても、日本が買い取るアメリカ国債の代金が、戦費や復興に間接的に用いられるのだから同じです。

——ウクライナの復興費が日本に求められたように、ガザ地区の復興費も日本に求められるわけだ。全くとんでもない話です。いずれにしろ、この戦争の絵を描いているのが米国であることは間違いないでしょう。

秋嶋　今回の紛争の背景には、イスラエル沖の海域で9兆８０００億立方メートルという膨大なガス田が発見され、その採掘の主導権を巡る争いがあると指摘されています。イスラエルが採掘権を握れば、当然その事業はシェブロンなど米国系資源メジャーの独占になります。現にイスラエルとアメリカはガス田から30㎞の地点で新港の建設を始めました。やはり、この戦争は資源争奪の色合いが非常に濃いのです。

――そのためにハマスにイスラエルを攻撃させたという仮説が成り立ちますね。

秋嶋　ハマスのテロがなければ、米国はイスラエル軍をガザ地区に侵攻させ、ガス田を抑える手はずが整えられなかったわけですから。ちなみに僕は、薬害から注意をそらすこともイスラエル紛争の大きな動機だ、と推理しています。

――そこら辺の話を詳しく聞かせて下さい。

秋嶋　ＷＣＨ《世界健康会議》は、これまで接種に用いられたフ○○ザー製の全てのコロナワクチンに、発ガン性が認められると発表しました。またカナダの研究グループは、世界中で１３５億回分のコロナワクチンが接種された結果、１７００万人が死亡したと報告しています。つまり各国の研究者は、世界規模で生じた多死現象の原因を、コロナワクチンだと結論付けているわけです。

——だから為政者は、何が何でも国民の関心を他にそらさなければならないわけだ。

秋嶋　米国がこの戦争に長く介入すれば、必ず反戦運動が拡大します。そうなると、米国政府にとってそれは絶好の薬害のスピンとなります。またイスラエルは世界で最もコロナワクチンの接種率が高く、そのため薬害が深刻化しています。だからイスラエル政府にとっても、今回の戦争は世論をそらす好材料となったわけです。そう考えるとイランを巻き込んだ戦争の拡大も、当初からシナリオ化されていたのかもしれません。だとすれば、これはやはり「国内的矛盾の蓄積に起因する戦争」なのです。

——臆説ではないと思います。現に各国のメディアは薬害には一切触れず、イスラエル問題一色です。

秋嶋　歴史を概観すれば、戦争は常に内政の不満を解消するために（あるいは国民を陽動するために）用いられてきました。これが「外交問題は内政問題である」という至言の原拠なのです。

――相変わらず首都圏の火葬場は2週間待ちの混雑ぶりです。日本はパレスチナと大差ない状況なのでしょう。そんな現実も一連の戦争報道にかき消されています。

秋嶋　この国は多重絶滅のプロセスに突入しているのかもしれません。つまり原発事故、財政破綻、植民地化、薬害、戦争国家化という「ポリクライシス《複合の危機》」に陥りながら、国民は自分たちがガザの住民以上に難民化しつつある現実に全く気付いていないのです。

◉第5章

日本人の消滅という問題

ド級の植民地暴力に気付いていない

――御用メディアの日経新聞が薬害問題を取り上げていましたが、いよいよ隠しきれなくなったのではないでしょうか。

秋嶋　厚労省が公開している資料によると、コロナワクチンにはALC―0315やALC―0519という刺激性の添加物が含まれていますが、多くの研究者がこれらには急性毒性や発がん性が認められると警告しているのです。

――そんなものを注射すれば被害が出るのは当然です。にもかかわらず、御用マスコミはワクチンを打て！　打て！　と煽っていたわけです。

秋嶋　7回目の接種からXBBワクチンが用いられています。しかしこれによる抗体はごく僅かしか生成されないことが明らかになっています。しかもADE（ワクチンで作られた抗体が逆に感染や症状を促進する現象）を引き起こす確率が旧型よりも数十倍も高いと指摘されているのです。

――免疫疾患が増加するということは、各種の癌も増加するということです。

秋嶋　政府は「新たな変異株の流行に対応するため」と説明しています。しかし、そもそも変異株への有効性は認められていません。「重症化予防効果が期待できる」という厚労省の所見に添えられたデータも動物実験だけというお粗末ぶりです。

――XBBワクチンの接種は無意味であるどころか、重大な健康リスクをもたらすわけです。

秋嶋　それを生後6カ月の乳児から高齢者に至る全世代に接種したのです。

――現場で多くの事故を目の当たりにしている医療関係者は、なぜ黙っているのでしょうか？

秋嶋　医者が薬害にダンマリを決め込む背景には多額のインセンティブ《成果報酬》があります。すでに５兆円の病床確保料が交付されていますが、この他にも感染防止対策などの名目で20兆円が支給されました。これにより多くの病院が慢性的な赤字から黒字に回復したのです。

――政府と病院が共犯関係を結んでいるのですね。

秋嶋　接種を請け負った医師の時給は、最大で18万円だったそうです。バイトでもその位稼げるわけです。このような金目の互恵関係が、両者の間で出来上がっているのです。

――そしてその結果、これほど薬害が深刻化したわけだ。本当に酷い話ですね。

秋嶋　コロナワクチンによる予防接種救済制度の適用（死亡認定）は４５０名に達し、死亡一時金の累計は２００億円に達する勢いです。

――新型コロナワクチンの接種が薬害に拍車をかけることは確実でしょう。

秋嶋　イギリスの下院は、コロナ対策にかかる納税者１人あたりの負担が約１００万円と発表しました。日本の場合、コロナ対策に３００兆円の国債が発行されていますから、納税者１人あたりの負担は４００万円を優に超えるでしょう。インボイス制度が導入され、公租課税が引き上げられますが、政府が増税《カツアゲ》に血まなこになるのはこのような事情なのです。

――コロナ禍の発生当初から秋嶋さんが指摘した通り、かかる費用の一切合切が国民の負担になるわけです。もっとも製薬会社は儲かって笑いが止まらないでしょうが。

秋嶋　例えば、塩○○製薬の株価は10年前の6倍に上昇しました。同社はこれを受けワクチン事業を強化し、１０００億円の売上を目標にすると息巻いています。要するに彼らは、今後もコロナワクチンの接種が国策として推進されると確信しているわけです。

――製薬会社と政府が結託し、危険なワクチンを国民に接種するというホラーのような話です。

秋嶋　これは最悪の「企業による社会的関与《コーポレート・ソーシャル・インボルブメント》」なのです。塩〇〇製薬は外国人が株式の30％以上を所有する外資企業ですから、日本人が接種を繰り返すことで、外国人投資家の配当が倍増する図式です。

――最近マスコミがコロナウイルスの感染者が増加傾向だと騒いでいますが、これも怪しいですね。

秋嶋　そうやって煽ることで追加接種するよう仕向けているのです。第9波、第10波、第11波……という具合に、感染爆発がワクチンの生産体制に合わせてスケジュール化されている位に考えなくてはなりません。やはり一連のパンデミックは人為的な現象です。マスコミと製薬会社が作り上げた「プランデミック」なのです。

――それはもはや議論の余地すらないでしょう。

秋嶋　製薬会社が続々とコロナワクチンの工場を建設している件を述べましたが、このようなワクチンバブルの背景には、経済産業省の「ワクチン生産体制強化のためのバイオ医薬品製造拠点等整備事業」があります。これは要するに、政府がコロナワクチンの量産を主導し、３２００億円規模の補助金を支給する計画です。すでに二次募集も終わっています。

——政府はモデルナの福島工場で生産されるワクチンを、今後10年に渡り買い取る契約を結んでいますが、他社とも同じような契約を交わすのでしょう。

秋嶋　そもそも製薬会社は、国から購入の確約が得られなければ、外部金融（融資や出資による資金調達）によって工場を建設できません。すなわち機関投資家のアナリスト《金融分析者》たちが「日本政府は今後もコロナワクチンを購入し続ける」と判断したことから、製薬会社は莫大な資金を調達できたわけです。

——つまり金融筋が「これからも日本政府は国民にコロナワクチンを打ち続ける」という情報を入手したから、製薬会社は工場を建設する資金を調達できたのですね。

秋嶋　政府のワクチン買取契約は金融用語で言うところの「仮需」です。これは、現在の需要はないけれども先の需要を見越して購入する行為、という意味です。だから今後もワクチン需要を喚起するため、人為的なパンデミックが繰り返されるでしょう。

――異論ありません。必ずそうなると思います。

秋嶋　内閣感染症危機管理統括庁と日本版ＣＤＣ（米国疾病予防管理センター）の創設は、米国の命令によることが暴露されています。つまり日本は宗主国《アメリカ》の製薬業界と寡占金融のためにワクチンの接種を繰り返すのです。このようにド級の植民地主義暴力が行使されているにもかかわらず、未だ国民国家《エスニシゼーション》の回復運動は生じる気配すらないのです。

私たちは「非平和」の真っ只中にある

——昨年《2023》のコロナワクチンの健康被害給付金が、当初予算の１００倍以上（３９０億円規模）だったそうです。

秋嶋　マスコミが薬害問題を報じないため、体調不良と接種との因果関係に気付かない人が大多数です。そう考えると、潜在的な被害給付金の需要は二桁多いのです。

——薬害も大問題ですが、薬害のコストを国民が税金で負担することも大問題です。

秋嶋　ＷＨＯ《世界保健機関》は「２０５０年に癌患者数は２０２２年と比較し77％増加する」と発表しました。そしてその原因として喫煙、飲酒、肥満、大気汚染などを挙げています。しかし世界的な癌急増の原因がコロナワクチンであることはまず間違いないでしょう。

――WHO《世界保健機関》の声明は癌増加の原因をすり替える宣伝なのですね。

秋嶋　このような体制の秩序のために行われる宣伝を「統合のプロパガンダ」と言います。ちなみにタイでもコロナワクチンの薬害が深刻化しています。そのため２万３千人が補償を申請し、１万９千人が認定され、日本円で約１００億円が支払われたそうです。

――日本でも薬害申請は１万件を突破しています。

秋嶋　人口が半分の韓国の薬害申請が10万件を超えていることからすれば、いずれ日本の申請件数は20万件を超えるかもしれません。

――戦後最少の出生率が取り沙汰されていますが、これもワクチンが関係しているのではないでしょうか。

秋嶋　昨年《2023》の日本の妊産婦数は約77万人でしたが、そのうち１万５０００人の胎児が亡くなったそうです。これが事実だとすれば、実に50人に１人が死産だったわけです。そもそも２年も前にＶＡＥＲＳ《ワクチン有害事象報告》が、コロナワクチン接種開始後から17ヵ月目の時点で４００人以上の胎児が死亡したと報告しています。つまり、こうなることは最初から予測できていたのです。

――酷い話ですね。政府も企業も国民の生命を何だと思っているのでしょうか。

秋嶋　生命の取り扱いの問題から社会に対する認識を改めることを「生命科学の社会的転回」と言いますが、我々はその時局に差し掛かっているのです。

――しかし未だ薬害が起きていることすら知らない人が大多数です。

秋嶋　平和学の提唱者であるＪ・ガルトゥングは、戦時下でないにもかかわらず夥《おびただ》しい死者が生じる現象を「ピースレスネス《非平和状況》」という言葉で表しましたが、今の日本はその真っ只中にあるのです。それにみんな気付いていないのです。

――私たちは可視化されない内戦状態に置かれているのですね。

秋嶋　薬害が余りにも増加したことを受け、厚労省は申請件数を公表しないよう自治体に通達したそうです。こんな調子ですから、これからマスコミが発表する（薬害にかかわる）諸数字も全て改竄《ウソ》だと考えなくてはいけません。

――そうなると国民はますます現実の認識が覚束なくなります。

秋嶋　一般の認識と統計データから割り出された事実が乖離する現象を「セマンティックギャップ」と言います。今の日本ではこれが加速度的に進んでいるのです。つまり「象徴的現実（報道と広報が作る疑似現実）」が現実に取って代わっているのです。

――日本はジョージ・オーウェルの『１９８４年』さながらの暗黒社会になっているわけですね。

秋嶋　ところで先日ＥＭＡ《欧州医薬品庁》がＡＲＣＴ－１５４という予防ワクチンを認可しましたが、これは日本で接種される自己増殖型《レプリコン》ワクチンと全く同じタイプだそうです。

――だとすれば欧州でも薬害がさらに深刻化します。

秋嶋　しかし近年はイギリス、フランス、ドイツなどでも民主制が著しく後退しています。つまり厳重に情報統制が敷かれ、反ワクチン運動が抑止されているのです。

――アメリカでもワクチン接種が一度見直されましたが、バイデン政権は接種を再開し、さらに強化する方針を打ち出しました。

秋嶋　新しい薬品などが孕む倫理的・法的・社会的な問題を「ＥＬＳＩ《エルシー》（Ethical, Legal and Social Issues）」と言いますが、この重要概念《キーコンセプト》はコロナ禍を機に地球規模で抹消されつつあるのです。

――コロナで世界中がおかしくなっています。多くの国の政府に狂いが生じています。

秋嶋　喧々囂々《けんけんごうごう》の非難が渦巻く中で、フランス政府はｍＲＮＡワクチンに対する批判を犯罪と見なし、３年の懲役や最高４万５０００ユーロの罰金を科す法律を可決しました。

――「人権宣言」の発祥国のフランスで、そんな法律が成立したとは驚きです。

秋嶋　これはmRNAワクチンの危険性を発信することだけでなく、行政の瑕疵や責任に言及することも違法とする弾圧法です。要するに製薬利権の関係者《ステークホルダー》を守るための「ファイザー法」なのです。

――コロナ禍が発生した直後から、秋嶋さんは「世界的な逆コース（民主制から独裁制への回帰）が始まる」と予測していましたが、全くその通りの展開です。

秋嶋　各国が「団体独裁（利権者の団体が政治を支配する体制）」を推進しているのです。これがつまり「グローバル・ファシズム」という大世界潮流《メガトレンド》なのです。

――まさに世界中の国々を巻き込む巨大な独裁運動です。

秋嶋　カナダ、ニュージーランド、オーストラリアでは、ワクチン反対デモに参加したり接種を拒否した国民に対し、口座の凍結や年金停止などの制裁的な措置が取られました。

――そして日本では、これほど薬害が深刻化しながら接種に次ぐ接種です。気づいてみれば、日本の追加接種率は世界一です。

秋嶋　挙げ句に製薬会社に莫大な補助金を支給してワクチン工場を建設させ、その司令塔としてCDC（米国疾病予防管理センター）を招聘《しょうへい》するのです。そう考えると、改憲も「グローバル・ファシズム」の完成に向けた手続きなのです。かくして我々の「人権文化」は解体される寸前なのです。

コロナワクチンは移民国家を建設する手段なのか

――著名人の訃報や重病が相次ぎ、「ターボ癌」という言葉が一般化しつつあります。

秋嶋　知人の看護師によると、このところ医療現場は異様な空気に包まれているそうです。かつてないほど若い患者が来院し、検査してみれば癌ステージの末期で、余命幾ばくもない、というケースが多発しているというのです。そんなことから同僚の看護師たちも「何か恐ろしいことが起きている」、「国は重大なことを隠している」などと口々に話しているそうです。

――やはりそんなことになっているのですね。しかし与野党が一緒にワクチンを推進したことから、そんな問題も国会で全く取り上げられません。

秋嶋　刑法には、危険が起き得ると予測される場合に注意義務が生じる「危惧感説」が記されています。治験が不十分なワクチンの接種は明らかに「過失犯」や「予見義務違反」に触れます。だからコロナワクチンを推進した全ての政治家に、法的責任が生じるのです。

——政治家は「検察や裁判所も仲間だから、自分たちは起訴も逮捕もされない」と高を括っているのでしょう。

秋嶋　一連の薬害は「集団免責」を当て込んだ制度犯罪なのです。「集団免責」とは、犯罪行為の集団化により、個々の罪責が曖昧になるという意味です。与党も野党も集団で行為したことで、罪が希釈化される、だから責任を問われない、と見込んでいるのです。

——こういう対談をすると各党の支持者から批判が寄せられるでしょう。しかし、現実として、与野党が一緒にワクチン接種を推進し、その結果として未曾有の薬害が起きたわけです。

秋嶋　すでにＸＢＢワクチンが使用されていますが、これはマウスの試験しか行われておらず、ヒトへの集団投与は日本が初というシロモノです。つまりこれは日本人を被験者とする事実上の「第一相試験（動物実験の次の段階として人間に投与する実験）」なのです。だから人体実験と非難されても仕方がありません。明らかに「ニュルンベルク綱領（ナチスの人体実験を人類的な教訓とし、絶対に繰り返してはならないと定めた国際的な取り決め）」に反しているのです。

――よくそんな酷いことができるものですね。マスコミもグルだから批判的な報道はありません。

秋嶋　研究者は、ＸＢＢワクチンが「抗原原罪」をもたらすと指摘しています。「抗原原罪」とは変異株に感染した際に、従来株に対する免疫が新たな免疫の獲得を阻害する現象という意味です。そしてさらに毒性が強いと指摘されるレプリコンワクチンが認可されたのです。

――政府もこれから何が起きるか分かっているのでしょう。

秋嶋　京都大学の名誉教授・福島雅典氏は「薬害ではなく殺人であり、生物兵器によるホロコーストだ」と語っています。

――なのに先日、65歳以上を対象とする定期接種が法案化されました。

秋嶋　繰り返しますが、日本は国策としてワクチンを大増産しているわけです。だからそれに見合う消費を促さなければなりません。そのために定期接種を法案化したわけです。いずれ政府は対象年齢を広げ、さらに義務化するでしょう。接種を義務化しなければ、年間数億本も生産されるワクチンを買い取ることができませんから。

――国民の健康リスクは全く度外視されているわけです。

秋嶋　これは「増殖仮説」の最悪の証明です。「増殖仮説」とは、新しいビジネスが台頭すると、それに合わせて新しい利権が生まれるという仮説です。政治が製薬ビジネスの道具になっているわけです。

――そのため国民の健康が脅かされています。にもかかわらず、みんな何が起きているかも分かっていません。

秋嶋　これは「文化心理学」に照らして考えるべき問題です。「文化心理学」とは、メディアを中心とする文化環境が国民の理性にどのような影響を及ぼしているかについての学究です。この国の文化は、徹底して国民に情報を与えない、思考させない文化なのです。

――テレビ番組は下品なバラエティや、お笑いや、ワイドショーばかりですからね。それにしても日本の人口は急激に減少しています。マスコミは少子高齢化が原因だと言っていますが、若い世代も多く亡くなっているわけですから説明になっていません。

秋嶋　総務省の発表によると、昨年《2023》の人口減は過去最大の83・7万人を記録しました。まさに「日本人は加速度的に消滅している」のです。そしてこの渦中で岸田文雄は「カタールやアラブ首長国連邦のように、移民が9割となっても国家は存続できる」と言い放ったのです。

――やはり政府はわざと国民を減らそうとしています。

秋嶋　人口構成のグラフを見れば、国民の減少を補うかのように移民が増加しています。すでに豊島区を始め20代の外国人比率が25%を超えた地域もあります。

――もうすぐ外国人が人口の1割の時代になりますが、これではあっという間に2割を超えるでしょう。

秋嶋　江東区、新宿区、足立区、江戸川区、板橋区、豊島区、北区、葛飾区などでは中国人が1万人を超えています。自民党は育成就労制度を創設しましたが、これは外国人労働者をさらに呼び込むための措置です。現実として政府は、国民を半分の6000万人まで減らし、2000万人の外国人を植民し、8000万人体制にする構想をぶち上げているのです。河野○郎がファミリー企業を通じ中国共産党と利益関係にあることが暴露されていますが、おそらく移民も密約しているのでしょう。

――少子化の解消よりも移民を優先するなんて気が狂っています。

秋嶋　欧州連合は加盟国に移民・難民受け入れを義務付け、違反した場合は巨額の罰金を科すと宣言しました。移民の推進主体であるダヴォス《世界的超富裕》階級は、支配地域を多民族化させる目論見なのです。そうやって国民的な価値《エスニシティ》や文化を解体し、民衆を砂粒化させ、結束不能な分断社会を作るわけです。別の言い方をすれば、トランスナショナル《越境侵犯的》な僭主《せんしゅ》の支配構想とは、移民によって権利意識の高い国民国家を解体し、奴隷的な「多人種社会《プルアラル・ソサエティ》」を作ることなのです。この理解によって初めて今起きていることの意味が分かるのです。

先住民として駆逐される日本人

——このところ私の周囲では訃報が相次いでいます。親類や知人が相次いで亡くなり、多死社会の到来をひしひしと感じています。

秋嶋　日本の超過死亡はコロナワクチンの接種を開始して以降50万人を超えています。この数字は実にアメリカの3倍以上です。人口比で見れば7倍という、とんでもない事態です。

——海外メディアはこの問題を大きく取り上げていますが、当の日本では全く報じられません。

秋嶋　超過死亡に触れないよう報道管制が敷かれているわけです。しかし、今やこの問題だけでなく、国民の健康リスクに関わる全ての情報が統制されているのです。

――そこら辺りを詳しくお願いします。

秋嶋　例えば「食料供給困難事態対策法」が成立していますが、これについても全く報じられていません。これは戦争や災害などの非常時に、（安全基準を大幅に緩和した）米国産の遺伝子組み換え食品の輸入を特例的に認める法案です。要するに、日本は（発がん性や催奇性が指摘され）行き場を失った危険な食品の最終引き取り手《オフテイカー》に仕立て上げられているわけです。これはまさに日米二国間における「関係的権力（絶対に服従させる位階秩序）」の顕《あらわ》れと言えるでしょう。

――なのにアメリカに抗議する政治家は一人もいません。いわば国士型の政治家が皆無なわけで情けない話です。

秋嶋　ちなみに日本の化学合成添加物（石油から作られ有害性が指摘される添加物）の認可数は３５０品目でダントツです。各国の化学合成添加物の認可数を見ると、アメリカが１３０、ドイツが60、フランスが30、イギリスが20です。これらと比較すれば、日本の使用量がいかに突出しているかが分かります。かくして安全の代名詞だった日本製ブランドは失墜し、今や日本製食品は世界中から毒物視されているのです。

——来日した外国人観光客が食後に体調を崩すケースが多いそうですが、添加物も影響しているのかもしれません。

秋嶋　農薬の単位面積あたり使用量、人口あたり薬の使用量、遺伝子組み換え・遺伝子編集食品の輸入及び使用量、水道水の塩素量、電磁波の暴露量、レントゲンなどの医療被曝量、食品および飲料水の放射線量でも、日本はぶっちぎり世界一です。日本の人口が世界人口に占める割合はたった2％なのに、日本の医療費が世界の医療費の40％を占めるのは、このような事情によるのです。だから日本の多死多病現象は「シンデミック（複数の要因が絡み合って死をもたらす現象）」だと分析できるでしょう。

——自民党が進めるグローバル化によって、あらゆる分野が規制緩和されましたからね。それにしても酷い話です。

秋嶋　日本は抗癌剤や向精神病薬の使用量でも世界トップです。そのため精神病院の病床数や、抗うつ剤を処方された患者の自殺率も世界一です。このように我々の国では「医療倫理《メディカル・エシックス》」が死滅状態なのです。

――それにしてもコロナワクチンがリスクランキング上位であることは間違いありません。

秋嶋　ドイツの研究者グループが、バ○○テック、ア○○ラゼネカ、フ○○ザー、モ○○ナのワクチンに、カリウム、セシウム、コバルト、鉄、チタン、アルミニウムなどの有害物質が含まれると発表しましたが、各社はこれについて口を閉ざしています。つまり事実だと認めているわけです。

――そんなものを注射しているわけですから、人がバタバタ倒れるのも当然です。

秋嶋　この状況で、国際保健規則《IHR》の改定や、WHOパンデミック条約の加盟が進められているのです。上川外務大臣が「パンデミック条約は国会の審議を通す必要はない！」と暴言を吐きましたが、このようなことからも、接種の義務化に向けた政府の前のめりな姿勢が窺えると思います。

――むしろ政府はわざと日本国民を減らそうとしているフシさえあります。そういう命令が下されているのかもしれません。

秋嶋　自民党は移民を推進するため「特定技能制度」を設け、製造・建設・介護の労働市場を開放しました。そして今度は白タクをライドシェアという言葉に言い換え、外国人ドライバーの就労を解禁したのです。こうして猛烈な勢いで国民を移民に置き換えようとしているのです。

――つまり日本人は駆逐される先住民と化しているわけですね。

秋嶋　人口減によって今後７４４の市町村が30年以内に消滅すると予測されています。しかしこれらは無人化するのではなく、外国に買われ、入植され、コロニアル・シティ（植民の拠点となる都市）化した東京を取り囲むようにディアスポラ・コミュニティ（外国から移住した人々の居住区）を形成するのです。つまりこれは「植民国家の空間編成」なのです。

――先程の話でも出ましたが、やはり宗主であるダヴォス階級の構想に基づいて、日本を多民族国家にすることが決まっているのでしょう。そのためにわざと国民の健康を害する政策が取られているように思います。

秋嶋　これは明らかに「入植者植民地主義《セトラー・コロニアリズム》（先住民である日本人を駆逐し外国人の入植者に置き換える植民地主義）」の実践です。「入植者植民地主義《セトラー・コロニアリズム》」の例として、ナチスの東方拡大、欧米人のアメリカ大陸侵略、日本の韓国・中国支配などを挙げれば、どれほど悲惨で、暴力的で、搾取的であるかが分かるでしょう。

――このままではこの国は消滅してしまいます。秋嶋さん流に言えば、「ニホンという地図上の区域は残るが、日本という国民国家はなくなる」でしょう。

秋嶋　だから僕は一連の問題を「地経学（国の資源と空間の位相による政治の分析）」から捉えなければならないと考えています。つまり人口の削減も移民の推進も、極東国《ニホン》の資源分割と略取というプランに帰着するのです。つまりこの錯乱は「ダヴォス・アジェンダ《世界支配者の計画議題》」という掌上の出来事なのです。

人間は家畜に対して行うことを人間に対して行う

――それにしても政治倫理審査会は酷い茶番でした。

秋嶋　野党は裏金問題を追及したという既成事実を作り、与党はそれに答弁することでみそぎとし、互いに面子を立てて幕引きしたわけです。最初からそういうシナリオだったのです。

――野党の幹部たちも統一教会から諸々の援助を受けていました。そんな弱みを握られているから、自民党に突っ込めるはずがありません。

秋嶋　本来であれば、この事件は脱税という刑法問題として扱わなくてはなりませんでした。

それを倫理という内心問題にすり替えて誤魔化したわけです。つまり、倫理という疑似争点を用いることで事件を矮小化し、政治家の逮捕を求める世論が出来《しゅったい》しないよう図っていたのです。このようにわざと不適切な言葉を用いる誤謬《ごびゅう》法を「用語選択の誤り」と言います。

秋嶋　——脱税という言葉を使わず、モラルの欠如として片付ける。それで国民を納得させるという与野党の共同作戦だったわけですね。

その裏で自民と立民はＮＴＴの売却法案で一致協力していました。政倫審で対立を装う一方で、両者は手を携えて日本最大の通信インフラを外資に売り飛ばしていたのです。

秋嶋　——もはや立民は維新の会などと同じ自民党の衛星政党です。

これはまさに国民的な盲点《スコトーマ》です。つまり国民は最大野党が自公政権の「写像」であること（立民が自公のコピー）であることを全く理解していないのです。

秋嶋　——今や与野党は癒着を憚ろうともしません。「それがどうした？」と居直っている感すらあります。

秋嶋　ここで全体を整理しましょう。政治倫理審査会は事件の核心を脱税という刑法問題から倫理問題にすり替え、そのまま幕引きするパフォーマンスでした。そして国民は「ある程度のけじめが付いた」と納得し、たちまち忘れたわけです。こうして国民は「構造的内省性（世の中の仕組みを洞察する知力）」の欠如と、〝忘れやすい〟という性向に付け込まれ、まんまと丸め込まれたわけです。

——そう言われても仕方がありません。国民は彼らの目論見通りの反応だったわけですから。

秋嶋　本来であれば、野党は裏金問題よりも先に薬害問題で与党の責任を追及し、証人喚問しなければならなかったのです。ところが与野党が一緒にコロナワクチンを推進したことから、薬害問題は国会の議題にすら載せられなかったのです。

——今やこの問題は政治の最大のタブーと言ってもいいでしょう。

秋嶋　医師や研究者によって設立されたワクチン問題研究会は、コロナワクチンが２０１種類の病気を発生させると発表しています。また京大の宮沢孝幸氏によると、胎盤に取り込まれたコロナワクチンは胎児にも到達するそうです。だとすれば日本の死産率の激増は、これが原因である可能性が高いのです。

――そうした問題を取り上げる政治家が一人もいないことは本当に恐ろしいことです。

秋嶋　そもそも厚労省のワクチン分科会は「リスク・ベネフィットバランス評価」を行っていません。つまり有効性と危険性を比較検討する科学的な手続きを省略して、続々と新種のワクチンを認可しているのです。

――厚労省が国民の健康や生命を守るという職務を放棄しているわけです。

秋嶋　コロナワクチンによる健康被害の申請件数が１万件を超えた今年《２０２４》１月に、ワクチン分科会副反応検討部会が開催されましたが、彼らはこの席で「安全性の重大な懸念は認められない」とのたまわったのです。

——信じられません。直ちに接種を中止しなくてはならない状況で、そんなことを言い放ったのですね。

秋嶋　そもそも厚労省の仕事とは、統計データや研究資料から危険確率を割り出し国民の健康を守る「ハザード同定」です。これは「データサイエンス（情報技術による科学的な分析と予測）」とも言い換えられますが、そんな取り組みが全くないわけです。

——もうメチャクチャですね。科学も、倫理も、責任もないという。

秋嶋　厚労省もワクチン不全（接種をしても十分な抗体産生が出来ないこと）や、重症化抑制効果が嘘であることや、接種後死亡率が高いことをよく理解しているわけです。

——利害の所産としてのワクチン行政ということですね。

秋嶋　専門家集団は全てを承知の上で意思決定しているわけです。つまりこの国のアカデミズムには「生命倫理（哲学・科学・人倫・法律などの総合的な見地から命の問題を扱う態度）」という審級がスッポリ抜け落ちているのです。

――このところ未成年者の間でも薬害は深刻化しています。

秋嶋　もはやこの国には「未来倫理（次世代に対して責任を負う倫理）」も「未来リテラシー（情報を読み解き未来を予測する知性）」もないのです。軽薄で、無内容で、内省のない事物の群れが現代の日本人像なのです。

――これほど酷い事態になっても、国民は抗議デモひとつ起こそうとしませんからね。

秋嶋　こうして異様な「黙従的社会（民衆が政府に異議を唱えず服従する社会）」が出現しているのです。別の言い方をすれば「自己家畜化文明」が完成しているのです。倫理学者の森岡正博は「管理計画文明」という言葉を提唱しましたが、いずれも国民が自発的に家畜のように振る舞う体系という意味です。かくも薬害が深刻化しながら国民自ら接種に臨む、という呆気にとられるほどの愚かさは、家畜のように振る舞う脳回路《サーキット》が形成されているからです。

――確かに国民の振る舞いは家畜的です。こういう言い方をすれば顰蹙《ひんしゅく》を買うでしょうが。

秋嶋　日本社会は「自己家畜化理論（人間は動物を家畜化すると同時に自分を家畜化してきたという仮説）」の実証モデルなのです。「家畜化」の定義とは知覚の操作によって従順化することです。国民は政治とメディアが醸す幻覚によって「ドムス生物（飼い馴らされ家禽化した生物）と化しているのです。かくして今や国家そのものが巨大な厩舎《きゅうしゃ》なのです。

――支配勢力が結託して家畜を飼うように国民を支配しているわけですね。

秋嶋　それがまさに「牧人権力《アタランス》」です。だからこそ「人間は家畜に対して行うことを人間に対して行う」という洞察の言葉から、今という状況の地図を悟らなくてはなりません。ここで反抗を決意しなければ、この先には〈処分〉される未来しかないのです。

◉第6章

「スマホに召集令状が届く日」が近づく

全ての政党が国民を騙し裏切るという現実

――あれほど大騒ぎした裏金事件は有耶無耶に終わりました。野党の国対委員長は「これで一区切り付いた」と言ってましたが、全くふざけた話です。

秋嶋　検察は本件で起訴しないと先に宣言していたわけです。つまり、どのような事実が判明したところで、議員の辞職や罷免には絶対発展させない手はずだったのです。ここでよく考えなくてはならないことは「なぜあの時期に政倫審が開催されたのか」という時勢的な背景です。

――やはり政倫審はスピンだったのでしょう。その裏では危険な法案が続々と作られていました。

秋嶋　大規模災害や感染症の蔓延などの非常時に、国が自治体に指示権を発動する「地方自治法改正案」が成立しています。これを「新型インフルエンザ等対策政府行動計画」とセットで適用すれば、ワクチン接種を義務化することも、未接種者に罰則を科すこともできます。その意味において、この法案は緊急事態条項の前振り的な色合いが極めて濃いのです。

――国民はそんな法案が成立したことすら知りません。

秋嶋　「預貯金者の意思に基づく個人番号の利用による預貯金口座の管理等に関する法律」という長ったらしい名称の法案も施行されています。これは要するに、マイナンバーと銀行口座を紐付けて運用する法案です。さらに、これに合わせ、スマホとマイナンバーを一体化させる法案も提出されていました。

――マイナンバーによる一元的な国民の管理が完成しつつあるわけです。

秋嶋　しかし個人情報と口座を結び付け政府が管理することは、（憲法第13条の基本的人権で保障される）プライバシー権の侵害です。本人同意のないマスデータの扱いによって、国民は途方もないデジタルリスクに晒されるわけです。すでに数百万件のマイナ情報が漏洩していますが、そもそもこの国はデータ・ガバナンス《情報の管理政策》という概念がありません。だからこれを悪用した凶悪犯罪は必ず頻発します。

――おっしゃる通りです。反社勢力にとって全個人情報が集約されたデータはまさに宝の山です。絶対に悪用されるでしょう。

秋嶋　本来であれば、マイナンバーと口座の紐付けは、違憲審査や国民投票を実施すべき案件なのです。ところが批判的な世論は全く盛り上がりませんでした。なぜなら、その動機が１７００兆円という天文学的な額に累積する国債の償還であることが、全く周知されていなかったからです。要するに（マイナンバーと口座の紐付け法案が）資産課税の手続きだと知られなかったから、大した反発もなくスンナリ通ったわけです。国民は国債の仕組みや、償還の仕組みを知りません。つまり財政知識《フィナンシャル・リテラシー》を持たないから、政府の意図が読めなかったのです。

――そんなことが政倫審という茶番の裏で進められていたのですね。

秋嶋　有事の際に食料品の出荷調整や流通規制を行う「食料・農業・農村基本法改正案」も提出されていました。

――これは食の安全を脅かすとんでもない法案です。

秋嶋　単に政府が食料の生産・流通を管理するだけでなく、農畜産業者に遺伝子組み換え・編集食品の増産を命令し、従わなければ罰則や罰金を科すというトンデモ法案です。この背景に、伝統品種の破壊によって日本の農畜産市場を一挙に制圧したい多国籍アグリビジネスの暗躍《ロビー》があることは言うまでもありません。

――今や日本政府はグローバル企業の代理政府です。この改正案が外資の要求であることは間違いないでしょう。

秋嶋　政府が指定した重要情報に関わる人物の身辺調査を合法にする「セキュリティ・クリアランス法」も通過しました。当面は経済上の分野に限定されますが、適用範囲は必ず拡大されます。現にこの法案も特定秘密保護法の改正法案なのです。いずれは、反政府的な文化人、活動家、ジャーナリスト、インフルエンサーなどの身辺を調査し、データベース化し、弾圧するための道具として用いられるでしょう。つまりこれは「白色テロ（政府に目障りな人物の抹消）」のツールなのです。

――アメリカの占領国では大体どこでもやってますからね。

秋嶋　アメリカが傀儡政権を樹立した80年代の南米《ラテン》諸国でも、反米的な市民や活動家のデータベースが作成され、それに基づき数十万人が投獄や死刑に処せられました。いわゆる「汚い戦争」です。スハルト政権下のインドネシアで１００万人の共産党員が粛清された事件も、米軍の指導で作成したデータベースに基づき計画的に実行されたものでした。

――その焼き直し作戦を日本でやろうとしているわけだ。

秋嶋　「放送法改正案」と「プロバイダ責任制限法改正案」も成立しました。前者はスマホに視聴料を課すことでＮＨＫを御用メディア化させること（受信料の落ち込みで経営悪化するＮＨＫの便宜を図ることでプロパガンダ機関に仕立て上げること）、後者はＳＮＳの政治批判を取り締まることが目的だと思われます。

——それにしても一連の手続きは唖然とするほどの手際の良さです。政治倫理審査会とセットで入念に準備されていたことは間違いありません。

秋嶋　全ては与野党の談合です。僕は作家活動を開始した当時から、インドの政治学者ラガヴァン・N・アイヤーが提唱した「パラポリティクス」という言葉を用いて、与野党のどちらを支持しても同じ体制に回収されると主張を繰り返してきましたが、現状はまさにその証明と言えるでしょう。

——にもかかわらず、支持者はこの現実を見ようとしません。これほど野党が裏切り行為を重ねているのに、それを無いことにして支持しています。

秋嶋　仏教は物事を単純な二項対立で捉える態度を「虚妄分別」という言葉で戒めています。つまり、ステレオタイプな対立図に惑わされることを禁忌にしているのです。ニーチェも「善悪の彼岸（善玉と悪玉が対決するという虚構に騙される愚かさ）」という論題を提出しました。いいかげん国民は与野党対立という八百長に気付かなくてはなりません。構造的な不正義を直視しなければ、知的に成熟できないのです。

宗教が信徒を戦争に導く欺瞞を語れば

——公〇党が戦闘機の輸出に賛成しました。これにはＳ学会の信者も驚いたでしょう。

秋嶋　公〇党のパートナーである自民党の政治資金団体「国民政治協会」は、三菱重工から過去３年間で１億円近い献金を受け取っています。自公政権の裏で軍需ロビーのカネが動いているわけです。

——「輸出には慎重を期す」とか言ってますが、まさに「お題目」です。

秋嶋　どんな詭弁を弄したところで、日本が輸出する戦闘機が人殺しに用いられることに変わりはありません。現に輸出先となるＮＡＴＯ国は、ウクライナに膨大な兵器を供給しているわけですから。

――不殺生を戒律とする仏教の系列の宗教団体が、戦争産業を推進するなんてイカれた話です。

秋嶋　自公政権は、南西諸島の軍事基地化や、軍需産業の国有化や、敵基地攻撃能力の保有など、戦争の準備を着々と進めています。これがどういうことかと言うと、「政教一致」によって日本の軍国化《ミリタリゼーション》が進められているということです。もっと言えば、宗教権力と戦争産業が結びつき、平和憲法の価値秩序を解体しているのです。

――これはもはや日本の最大の時事問題です。

秋嶋　平和学の提唱者であるJ・ガルトゥングによると、暴力は①直接人に危害を加える戦争などの「直接的暴力」、②貧困や抑圧を加える「構造的暴力」、③①②の状態を正当化する「文化的暴力」の三タイプに分類されます。この知見に照らせば、軍国化に信徒の合意を促すS学会の諸力は「文化的暴力」だと分析できるでしょう。

――学会員は学会の方針に逆らえませんからね。

秋嶋　「池○大作の後継者たる我々が兵器を輸出するのだから、これは正しい判断なのだ」と説得するわけです。そうやって信徒のディヴォーショナル《宗教的献身》な態度や合意を最大限に引き出すのです。

――現に青年部や婦人部も、全くと言っていいほど戦闘機の輸出に反発しませんでした。

秋嶋　「政教一致」による軍国化《ミリタリゼーション》は格別新しい手法ではありません。明治の廃仏毀釈《はいぶつきしゃく》によって神道を国教化し、天皇を最高神官とする疑似宗教国家が（近代化のため欧米のキリスト教支配モデルに倣い）建設された当時から、この手法が繰り返されてきたのです。そうやって「これは神たる天皇の意思に基づく戦いである」という聖戦論を唱え、日露戦争、日清戦争、日中戦争、太平洋戦争に突き進んだわけです。言い換えると、日本は「神話的暴力」によって戦争を繰り返してきたのです。

――太平洋戦争では３００万人の国民が殺され、挙げ句に2発の原爆が投下されました。これが「政教一致」の所産だと考えれば、日本は最悪のカルト国家だったわけです。

秋嶋　しかし国家とは多元的な権力が相互に作用する現象です。だから戦争国家化問題はＣ・ギアツの言う「権力ブロック（多面に跨る利権の結合）」という視点からも捉えなければなりません。

――そこら辺りを詳しくお願いします。

秋嶋　これほど宗教者支配《セオクラシー》が平和社会を脅かしながら、政教分離問題がただの一度も国政の争点にならないのは、野党も金融軍産複合体《ネオコン》に呑み込まれ、自公と一体化しているからです。つまり武器輸出も、与野党の癒着も、改憲も「グローバル化された軍事」という同じコンセプトで束ねられるのです。

――与党も野党も多国籍な軍需資本に与しているわけですね。だから改憲や軍国化の問題が国会で全く議論されないわけだ。

秋嶋　８００万世帯の信徒を戦争国家に導くＳ学会は「世界軍事秩序」の一角なのです。「平和の党」であるどころか、実体は「非平和（戦争、貧困、福祉の後退など）の装置」なのです。このような反社会性が見抜かれていたからこそ、S学会はフランスでセクト・カルトに認定されていたのです。フランスにはライシテという厳格な政教分離の制度があり、そこら辺りは日本よりも徹底しています。

——それにしてもマスコミは政教分離問題について全く突っ込みません。

秋嶋　新聞各社が聖○新聞や公○党新聞の印刷委託を受けているからです。業界用語で言う「賃刷」です。聖○新聞と公○党新聞を合わせれば６５０万部を超えますが、これは読売新聞の部数に匹敵し、朝日新聞と毎日新聞を合わせた部数よりも多いのです。まして新聞の購読数が激減する昨今ですから、もはや新聞社はS学会の「賃刷」なくしては経営が成り立たないのです。

——これはいわばマスコミの「口封じ料」ですね。だから新聞社はS学会に不都合な報道はできない。政教分離問題にも触れられない。S学会と一体である自民党の致命傷となる問題を追及できないわけです。

秋嶋　S学会はマスコミ支配のために、あえて自前の印刷会社を持たないのです。新聞社系のテレビ局やラジオ局も莫大なＣＭを貰っていますから、Ｓ学会や公○党の批判報道はタブーなのです。だから宗教権力と軍需産業が一体化しているという大問題が全く取り上げられないのです。

——これほど薬害が深刻化しながら、ワクチン問題も報道されませんからね。

秋嶋　公○党のＹ口代表は「我々がアメリカからファイザー社製のワクチンを調達し接種した」と選挙の演説で述べています。これは薬害が表沙汰になる前のことですが、こうしてはっきりと言質を残しているわけです。

——その動画はＳＮＳでも拡散されていますから、言い逃れはできないでしょう。

秋嶋　未曾有の薬害はＳ学会にも帰責するのです。ところがメディアも野党もこの件を追及しません。これはまさに「医療多元論（医療行為の背景には政治と経済に跨る利権があるという学説）」の証明に他ならないのです。

——こんなことにならないように、日本憲法は政教分離を定めていたのに。

秋嶋　人類社会共通の課題《テーゼ》は「軍事型社会（戦争を遂行するための教育・規範・宗教・法律・価値を強要する体制）」からの脱却です。ところが〝人類が直面する根本的な課題の解決について対話する〟と学会憲章に記した彼ら自身が「軍事型社会」を推進するという欺瞞です。それを信徒に知覚させないハルシネーション《宗教が醸す幻覚》の作用が、まさに彼らの権力の基盤なのです。

「あり余る兵器と飢餓」の未来

――ここにきて日本の軍国化が急加速しています。

秋嶋　NATO《北大西洋条約機構》と共同開発した兵器を輸出する法案が通過しました。また日米比の3カ国協議で、自衛隊とフィリピン軍の相互往来をスムーズにする「円滑化協定《RAA》」も進められています。これが決まると自衛隊はなし崩し的に海外派兵されるでしょう。

――陸上自衛隊の業務の民営化も決まったそうですね。

秋嶋　アメリカではブッシュ政権下で副大統領だったディック・チェイニーが、ロジスティク《兵》ス《站》やケータリング《食堂運営》を始め、あらゆる業務を民営化しました。いわゆる「軍隊のアウトソーシング」です。そうやって出自のハリバートンと傘下企業に軍務を外注したのです。そして今や民営化は軍務の中枢にも及んでいるのです。

——そこら辺を詳しくお願いします。

秋嶋　地対空ミサイルや、ドローンや、無人偵察機などの超ハイテク化した兵器を運用するにはスペシャリストが必要です。そこで軍需企業がこれを担う高度人材を派遣するわけです。陸自の外注もこのための措置です。要するにこれは官民一体の戦争の準備なのです。

——それほど重大なことが、スポーツや芸能などの話題にかき消されて全く報道されません。

秋嶋　全国16の港湾と空港を自衛隊の拠点にする「特定利用空港・港湾整備計画」も決定しました。よくよく考えなくてはならないことは、有事となればこれらが標的にされてしまうということです。つまり日本が敵基地攻撃ミサイルなどで先制攻撃した場合、その報復として真っ先に攻撃されるのが、この計画で指定された港湾や空港などの施設なのです。

――そうなると住民が巻き添えになることは避けられません。

秋嶋　ところが住民投票やタウン・ミーティングが全くなかったのです。政府の一方的な方針によってあっさり決まったのです。こうして改憲に先立ち「軍事型社会（軍国主義の下で民主的な権利が抑圧される体制）」が現れているのです。

――こうなると残すところは改憲発議と国民投票だけですね。

秋嶋　先ほど「選挙権威主義」について説明しましたが、この言葉には〝為政者が不正に投票を操作する体制〟というもう一つの意味があります。日本は開票率が0％の時点で続々と当確が報じられる通り、露骨な「選挙権威主義」なのです。これは言い換えると「選挙独裁」です。だから国民投票でも不正な集計プログラムが用いられ、投票結果が改竄《かいざん》される公算が極めて高いのです。そうなると、仮に投票者の過半数が反対しても、必ず改憲という結果になるでしょう。

――もはや日本の軍国化に歯止めがかかりません。このままだと日本はまた戦争をする国になります。

秋嶋　現行の憲法はいわば国政に設《しつら》えられた安全装置《フールプルーフ》です。改憲のハードルが高い硬性憲法が、戦争国家への回帰を抑止しているわけです。それが取り払われたらどうなるか、少し考えれば分かることです。

――なのに国民は改憲の危険性を全く理解していません。

秋嶋　自民党の憲法改正実現本部の最高顧問は統一教会の元顧問弁護士です。これがどういうことかと言うと、統一教会・神社本庁・S学会というカルトの連合が政権を乗っ取り平和憲法を解体する図式なのです。すなわち日本は「祭政一致」によって再軍国化に突き進んでいるのです。もっと言えば、この国は「政教密着」によって再ファシズム化し、破滅の道をひた走ろうとしているのです。

――政治と宗教が最悪の形で結びついています。政教分離の原則を定めた憲法の精神が蹂躙《じゅうりん》されています。

秋嶋　繰り返しますが、改憲の最大の狙いは、日本に巨大兵器市場を創出し、宗主国《アメリカ》の軍需産業と寡占金融に利益をもたらすことです。そうやって軍需を属国《ドーター・ネーション》である日本の中心経済に据え、恒久的に社会資本を吸い上げる仕組みを作ることが改憲の目的なのです。

——間違いありません。それが改憲の一番大きな動機です。

秋嶋　だからこそ日本の軍国化は「新しい暴力のパラダイム（新植民地主義の位階関係における暴力観）」や、「ポストモダン軍隊論（多国籍資本の下で再編成される軍隊論）」というメタ的な枠組みから捉えなければならないのです。

——外国による外国のための改憲ということです。そんな重要な視点が欠けています。

秋嶋　この先の未来に広がるのは「あり余る兵器と飢餓」という、人類史に頻繁に登場する崩壊国家の光景です。

——政教分離の原則を骨抜きにして、カルトの政治参与を見過ごしてきた。そこに外国が付け込んできた。そしてその結果、日本はまた悲惨な戦争国家になるわけです。

秋嶋　僕はこれまで「市場原理主義の終章が戦争国家である（日本はグローバル化の総仕上げとして軍国化する）」と述べてきました。そしてその通りの結果になりつつあります。これは70～80年頃の（アメリカの傀儡政権が過激な市場原理主義を推進した）ラテン諸国の先行事例から、経験科学《アポステリオリ》的に予測できたことなのです。つまり小泉政権が（極端な民営化や規制緩和を推進する）米国型の構造改革《グローバリゼーション》に着手した時点で、日本の軍国化は決定していたのです。

――政治家や宗教家が外国の手先になって、日本を軍国化させているという。本当に許せないことです。

秋嶋　全ては宗主国《アメリカ》の金融軍産複合体《ネオコン》の司令なのです。統一教会や、神社本庁や、S学会などの諸カルトは、いわばそのサブモジュール《下位の構成組織》であり、宗教ナショナリズム（宗教力による国威発揚）の装置として組み込まれているのです。

――宗教の洗脳は強力です。戦争に賛成する世論を作ることも、国民を戦場に送ることも簡単に出来てしまいます。

秋嶋　思考や、価値や、規範を一つの鋳型で成型し、「対話の真空」を作り出す（神という権威によってあらゆる議論を無効にする）宗教の技術が軍国化に利用されているのです。

こうして「聖職者権力《ヒエロクラシー》」が戦争国家を樹立するために濫用されているのです。

与党と野党が手を携えて日本を売り尽くす

――マスコミが狂ったように小林製薬をバッシングしていましたが。

秋嶋　同社のサプリが原因とされる死亡者が５人だったのに対し、コロナワクチン接種後の死亡者は厚労省の認定分だけで５００人を超えていました。後者の被害は桁違いなのに、前者だけが槍玉に挙げられたわけです。

――そのことで厚労省に非難が殺到したそうです。

秋嶋　小林製薬の工場は立ち入り検査されましたが、コロナワクチンで薬害を起こした製薬会社は家宅捜査すらされません。つまり医療法においても全く不公正なのです。

――どうせその裏でろくでもないことを進めていたのでしょう。

秋嶋　全く報道されませんでしたが、コロナワクチンの健康被害救済制度が変更され、死亡時の支払いが、４５３０万円から７７８万円に引き下げられました。これは、コロナワクチンが「特例臨時接種」から「定期接種（Ｂ類）」に切り替えられたため、と説明されていますが全くの詭弁です。

――そんなことが決まっていたのですか？

秋嶋　救済申請が予想の１００倍を上回り、さらに増加することを予測した措置なのでしょう。それにしても、これほど重大な出来事を周知せず、サプリ叩きに狂奔したことに、日本のメディアの異常な偏向が表れていると思います。

――そもそもサプリと死亡事故との因果関係は証明されていません。政府は、たった一人の医師の私見を根拠として、立入検査に踏み切ったわけです。

秋嶋　これはおそらく国策でしょう。その動機として、同社がヨウ素でコロナウイルスを不活化させる技術を開発していることが指摘されていますが、極めて強い仮説ではないかと思います。

――そこら辺りを詳しくお願いします。

秋嶋　先にお話した通り、政府は「ワクチン生産体制強化のためのバイオ医薬品製造拠点等整備事業」を推進しています。これにより製薬会社に２０００億円規模の補助金を支給してコロナワクチンを増産する計画なのです。小林製薬のヨウ素技術はこのプロジェクトの障害になります。だから政府は潰しにかかった、という仮説が成り立つわけです。あくまで私見としておきますが。

――なるほど。そう考えれば全てが腑に落ちます。

秋嶋　マスコミの同調的な動きや狂乱的なバッシングはＳＴＡＰ細胞事件を彷彿とさせます。ＳＴＡＰ細胞は捏造だと断罪されましたが、事件の経緯や（ハーバード大が酷似した特許を申請していることなど）その後を勘案すれば、エマージング・テクノロジー《実用化が期待される新興技術》が製薬利権によって潰されたと考えるべきかもしれません。

――だとすれば、今回の事件にも同じ圧力が作用しています。

秋嶋　そしてこの騒動の裏では「NTT法改正案」という空前絶後の売国法案が成立しました。これにより政府は5兆円のNTT株を放出しますが、この額は時価総額の40%に相当します。つまり外資ファンドは政府保有の株式を購入することで、回線シェアの75%を占める日本最大の通信インフラを手中に収めるのです。

――そうなると料金の高騰は必至です。多くの事業者が倒産するでしょう。

秋嶋　問題はそれだけではありません。総額40兆円を超えるNTTの含み資産（土地、庁舎、回線など）が外資の所有となります。郵政民営化の手練手管《スキーム》でバラ売りされることは間違いないでしょう。今回の改正案では、外国人役員の比率を3分の1未満まで認めることが盛り込まれましたが、これは要するに、外国人による重役兼任制（出資先に重役を送り込み経営をコントロールする仕組み）を強化し、NTTの資産の売却をスムーズにするための措置だと思われます。

――なのに立民を始め野党もこの改正案に賛成したという。もはや与党も野党も売国集団と化しています。

秋嶋　野党の党首も議員も、なぜこの売国法を自民党と共同して成立させたのか、説明責任も応答責任も果たしていません。そうやってバックレて、国民の声を無視するという与党と同じ態度戦略《エクリチュール》を貫いているわけです。

――野党の支持者たちは「ＮＴＴ法改正に反対する野党議員もいたが、党議拘束で従わざるを得なかった」と擁護していますが。

秋嶋　国会議員が国利より党利を優先したのであれば、それは主権者たる国民に対する背信です。政治家の要件である「正義感覚」を著しく欠いているわけです。

――おっしゃる通りです。国民の利益より自分たちの立場を優先したのであれば、政治家として失格です。

秋嶋　かくしてブラックロックを筆頭とする外国勢力は、僅か5兆円で40兆円の日本のアセット《重要資産》を獲得するのです。そして政治家はその手引きによって報酬を得るのです。アメリカの経済学者ジョセフ・スティグリッツによると、公共資産の売却に伴うインセンティブ《政治手数料》は購入費の５％です。これを当てはめれば、ざっと２５００億円が与野党の関係者に配分されるわけです。これはあくまで仮説の数字ですが、いずれにしろ莫大な裏金が動いていることは間違いないでしょう。

——政治資金収支報告書に載らないカネですね。そのために政治家は海外に秘匿口座を持っています。

秋嶋　しかしＮＴＴの回線は軍民両用《デュアルユース》の国家インフラです。それが外資化するとなれば、日本の安全保障は根本から脅かされます。大株主となった投資ファンドは、中国などの周辺国にＮＴＴの諸施設を転売することも可能となるのです。

——政治家もそんなことは分かっているでしょう。しかし国が滅んでも自分たちにカネが入ればそれでいいという。

秋嶋　本来であれば、これほど大きな問題はマルチステークホルダー・プロセス（政府と、事業者と、有識者と、国民を交えた意見交換の過程）をもって慎重に公議しなくてはなりません。ところが、そのような手続きが省略され、日本のコアゾーン《資産保護の防衛戦》はやすやすと破られたのです。

——この国は外国の勢力に骨までしゃぶられます。

秋嶋　サプリ騒動とＮＴＴ法改正という一見何の繋がりもない二つの出来事は「疑似主権国家問題」という同じ問題を孕み、越境型暴力の行使をまざまざと見せつけたのです。しかし、このような現代の支配に抗う公共の《オルターモダン》哲学が、巷間にも、論壇にも、電脳にも見当たらないのです。

戦争するために汚染水を放出しているのか

――福島原発から汚染水の放出が繰り返されています。これはもう取り返しがつかないことになるでしょう。ストロンチウムやプルトニウムを完全に取り除く技術などありません。安全だなんて大嘘です。

秋嶋　汚染水の放出は予測無影響濃度（健康リスク評価における許容濃度）を「桁違い」に超えているのです。特にトリチウムは取り除くことができず、海水で希釈して放出しているだけなのです。なのにそれが全く問題として取り上げられません。こうして「科学倫理」や「環境倫理」という概念が消え失せているのです。

――政府は認めませんが、本当は原発事故が起きてから、ずっと垂れ流し状態なのでしょう。

秋嶋　人類の暮らしや命は共通の環境の上に成り立つという世界観を「惑星社会論」と言いますが、この視座において、今や日本という国は最悪のテロ国家と化しているのです。

——汚染水を垂れ流し続けたらどうなるか、少し考えれば分かることです。国際問題に発展するのは時間の問題でしょう。

秋嶋　ドイツの研究者グループは、汚染水が3年で太平洋に拡散し、10年で世界中の海域に広がるというシミュレーションを公開しています。この予測に若干の誤差があるとしても、地球規模の汚染は避けられません。こうして日本発の「ソラスタルジア《環境破壊の恐怖》」が世界を脅かしつつあるのです。

——放出に抗議しているのは中国や韓国だけではありません。

秋嶋　いずれ太平洋沿岸諸国は国際司法裁判所に提訴するでしょう。これまでの裁定を見れば、被告国は90%以上の確率で敗訴しています。そうなると日本は数百兆円の賠償金を支払うことになります。国が賠償すると言っても、財源は全て税金です。汚染水の放出にかかわる全てのコストが、東京電力ではなく、国民にのしかかるわけです。つまり汚染水の放出は、途方もない国民資産の取り崩し《デキュミュレーション》を示唆しているのです。

――なのに新聞の社説は「処理水は安全である。問題は風評被害と周辺国の無理解だけである」みたいなものばかりです。だから国民は処理水の放出に何の問題もないと信じています。

秋嶋　NHKは「海産物を食べて生じる影響は、1ミリシーベルトの50万分の1から3万分の1程度」と報じていました。このようなデマが「メッセージの反復効果」によって定着したのです。「メッセージの反復効果」とは、誤った情報が繰り返されるうちに事実として受け入れられる現象という意味です。要するに「嘘も100回繰り返せば真実になる」というナチス式の宣伝をやっているわけです。

――本来であれば野党は汚染水の放出を断固阻止しなくてはなりません。ところがそんな取り組みは皆無でした。

秋嶋　野党の党首たちが第1回目の汚染水放出の際、どれだけXで発信したのか調べてみたところ、志位和夫が1回、福島瑞穂が3回、泉健太に至ってはゼロでした。要するに、彼らは阻止する気などなかったのです。

――野党は国会でも、街頭でも、選挙でも、党機関紙でも、汚染水の問題に触れません。

秋嶋　それどころか野党第一党の党首は「処理水の安全性は科学的に証明されている！」などと言って自民党を擁護していました。やはり与党も野党も同じなのです。この国の政治家は「環境的自省性（自国の行為が地球環境にどのような影響を及ぼしているのか反省する知性）」を持たないのです。

――それに気付かない国民もどうかしています。

秋嶋　よくよく考えなくてはならないことは、汚染水問題が中国に帰責されていることです。本来であれば（原発事故を起こした）日本政府と東京電力が批判されなくてはなりません。ところがマスコミが「中国が日本に言いがかりをつけ、風評被害を拡大させている！」と騒ぎ立て、中国を加害者に仕立て上げているのです。

――責任転嫁も甚だしい。明らかに新聞倫理綱領や放送倫理綱領に反しています。

秋嶋　清華大学は汚染水が240日で中国に到達すると予測しています。そうなるとこれは中国側にも食糧有事《フード・インセキュリティ》を引き起こします。つまりこれは中国側から見れば「エコテロリズ《環境を攻撃する作》ム《戦》」なのです。こうして汚染水の放出は、外交問題どころか、戦争問題に発展しつつあるのです。

――これは汚染水問題の重要なポイントです。詳しい説明をお願いします。

秋嶋　米国の政治学者・ジョセフ・ナイは、〝アメリカは日本と中国を衝突させ、軍需産業の利益を図り、東シナ海の覇権を確立しなくてはならない〟と「対日超党派報告書」に記しています。そして、このシナリオ通りに事態が進行しているのです。

――つまり日中関係を悪化させ、両国を戦わせる手段として、汚染水が用いられているのですね。

秋嶋　汚染水が放出された直後に政府は（中国本土を攻撃可能な）長距離巡航ミサイルＪＡＳＳＭ—ＥＲの購入を発表しています。要するに日本は、汚染水放出とミサイル配備という二つの行為で中国を挑発したわけです。そしてこのような中でボーイングとＢＡＥの株価は、前年《2022》の同月対比で50%も伸長したのです。

——そうやってネオコンが後ろで糸を引いて、日中対立を煽っているわけだ。これではいつ戦争になってもおかしくありません。

秋嶋　だとすれば汚染水放出は来るべき日中戦争のトリガーなのです。中国との緊張が既成事実化されると、有事法制が続々と整備され、あっという間に軍国体制が敷かれます。だからこそ我々はここで一切のノイズ《偏向報道》を断ち切り、平和をいかに維持するかという原問題に立ち返らなくてはならないのです。

——この流れを変えなければ、日本は中国との戦争に突き進むでしょう。

秋嶋　つい数年前まで、ウクライナやロシアの人々も、かつての我々と同じように平和に暮らしていました。それがＮＡＴＯ《北大西洋条約機構》の仕掛けた戦争によって一転し、多くの市民が戦争に駆り出されたのです。このように社会は戦争というたった一つの文脈によって、瞬時に切り替わるのです。すでにあらゆる個人情報がマイナンバーに集約されていますが、これは必ず徴兵に利用されます。こうして戦争の準備が着々と整えられているのです。「スマホに召集令状が届く日」がそこまで近づいているのです。

解説

秋嶋亮氏と一連の作品群について

木村　朗

著者の秋嶋亮（あきしまりょう、響堂雪乃より改名）氏は、ブログ・マガジン「独りファシズム Ver.0.3」http://alisonn.blog106.fc2.com/ を主宰し、グローバリゼーションを主なテーマに貴重な情報発信を精力的に続けている社会学作家である。システムインテグレーターとしての海外勤務の経験と全国紙系列の広告代理店で編集長を務めた異色の経歴を持ち、各種媒体でコラムだけでなく音楽評論なども執筆してきたミュージシャンでもある。

２０１２年にネットで話題騒然となっていた自身のブログを書籍化した『独りファシズム』で「新言論のカリスマ」として論壇に登場して以来、第二作『略奪者のロジック』（２０１３年）をはじめ、それに続く『滅び行くニホン』シリーズ4冊など一連のベストセラー作品を次々と世に送り出してきている。

これら秋嶋亮氏の作品群は、いずれも世界の権力構造の本質をカネ（金融と投資）と情報の流れを中心に読み解き、「ショック・ドクトリン（惨事便乗型政治）」（ナオミ・クライン）に見られるようにカネがカネを産み富める者がますます富む弱肉強食の資本主義世界の闇の構造を浮き彫りにする。

一見難解に思われる深い思想的背景を持つ選び抜かれた言葉（社会学の専門用語）をクール

に駆使しながらも日本が直面するさまざまな深刻な危機・脅威を論理的に分かりやすい語り口で熱く読者に問いかけて考えさせる。評者もそうであったように、その一作品でも目を通してみれば強烈な知的衝撃を受けることになる。

本書は、まさにそうしたコラージスト（言葉と情報と思想を紡ぐ創作家）としての秋嶋氏の現時点での集大成ともいえる作品であり、「沈黙の暴力の時代」における、「反抗の文藝であり、捨身の告発書」（本書「まえがき」より）である。

本書のタイトル『スマホに召集令状が届く日—ようこそ！戦争と独裁の未来へ—』が示しているように、著者の問題意識は常に鋭くかつ鮮明である。

２００１年の９・11事件や２０１１年の福島原発事故以降、G・オーウェルの『１９８４年』で暗示された「狂気の倒錯した世界」が出現し、それが加速して今や「グローバル・ファシズムの時代」が到来している、という見方に評者もまったく同感である。

これまでの作品群において、私たちが直面する「重層化する危機」とは何なのか？、もはやニホンという国の消滅は避けられないのか？、といった根源的な問題を設定する。

日本が直面しているのは、原発事故を契機に席巻する官僚統制主義、果てしなく広がる巨大薬禍、急速に後退する言論の自由、ファシズムへの回帰を目論む憲法改正、国民を裏切る政党談合、外国資本の傀儡と化した政府、種子法の廃止による伝統農業の破壊、消費税率の引き上げによる不況の固定化、外資のための水道の民営化、生存権すら無効にする壮絶な搾取、正常な思考を奪う報道機関、人間性の一切を破壊する学校教育、永遠に収束することのない原発事故、貿易協定に偽装した植民地主義、戦争国家のもたらす全体主義、といった重層的な危機である。

その中で日本人は宗主国アメリカや多国籍企業・国際金融資本によって搾取され奴隷化されており、日本はいまや「多重絶滅のプロセス」にあって消滅寸前なのだ、という驚愕の真実を提示してきた。

そして、このニホンという滅び行く国に生まれた国民、特に若者たちに、主流メディアに翻弄されて思考停止となった洗脳状態から一刻も早く覚醒して現実の脅威を直視して自分なりに対峙していくこと、そして最後まで諦めずに時代の濁流に対して抗い続けることの大切さを訴えてきた。

主流メディアと国家権力によってこれまで自明であるとされてきた常識やタブーとなっているテーマ・問題にも積極的にメスを入れて大胆な仮説の集積を提起する著者の手法は、人によっては「陰謀論」という受け止め方をされる場合もあるかもしれない。しかし、著者はあくまでも客観的な膨大なデータと論理的な思考によってこれまで隠されてきた不都合な真実に真摯に迫ろうとする。

具体的には、９・11同時多発テロ、新型コロナワクチンによる史上最大規模の「薬害」、福島第一原発の放射能汚染水放出、ＮＡＴＯの公共事業としてのウクライナ戦争、統一教会問題と憲法改正（自民党改憲草案は統一教会草案のコピー）、などがそうである。

本書の中でも最初の項目「カタストロフィの政治」で、年明け早々に起きた能登半島地震と飛行機衝突事件という複合的状況を利用して政府が民間との連携で改憲を進めようとしていること（あたかも事前に周到に仕組まれたものであるように…）、つまり為政者が恐怖や不安に晒されると盲目的に政府やマスコミに服従する国民の心理状況に付け込む実例を示している。

また改憲が宗主国（アメリカ）を支配する金融軍産複合体（ネオコン）の命令であり、日本を再軍国化させて周辺国との緊張を高めて「制限戦争」に持ち込んで米国製武器を大量に購入させる狙いであること、野党・マスコミが沈黙する中で改憲論（特に危険な緊急事態条項）が席巻する今の日本は授権法を制定した当時のドイツや同時多発テロ直後に準独裁国家（セミファシズム）化した米国と瓜二つの状況であることを明らかにしている。

さらに次の「言論を標的にする国家のテロリズム」の項目では、能登半島地震で起きた輪島市の火災はハワイのマウイ島と同じく、指向性エネルギー兵器（ＤＥＷ）が使われた可能性について言及している。この兵器（ＤＥＷ）はすでに実用化されており今や兵器産業の目玉であること、マウイ島の大火災は先住民が多く住む一等地でスマートシティ（情報管理都市）の建設構想がぶち上げられ立ち退きが難航していた矢先の出来事であったこと（石川県中能登町でもスマートシティ構想はあった‥評者）、木々やアスファルトに（延焼の痕跡となる）焼け焦げはなく、富裕層の邸宅は無傷であるのに対し、地上げの対象と思しき家々はピンポイントで狙われたかのように焼失していること、などを挙げて、「やはり一連の出来事は日本の体制変化（レジーム・チェンジ）を目的化している、としか思えないフシがある」と指摘している。

もちろん著者は「錯誤相関」（関連のないバラバラの出来事に関連があると思い込む心理バイアス）や単純な「二項対立型思考」の落とし穴を自戒しており、その仮説を「客観的事実」

として断定することは慎重に避けている。

そして、仮にそのような企図がなかったとしても続発する事故や災害は絶対に政治利用されると述べて、「新型インフルエンザ等対策政府行動計画」の改正を取り上げている。この改正によって政府がSNSを常時監視しプラットフォーム企業に「偽・誤情報」の削除を義務付けられる、政府に不都合な情報を「偽・誤情報」として扱うことで自由な言論を封殺し事実上の言論弾圧を行うことが可能になる、物事は時間で濾さなければ虚偽か事実か分からないからこそ真偽の裁定に権力を介入させてはならない、と指摘している。

この弾圧法は表現の自由を保障した憲法第21条2項に触れる違憲行為であり、「それが嘘であるという告発」を無効化させる政府の戦略、つまり「言論を標的にする国家のテロリズム」であると強調している。

以上、本書の冒頭部分の概要のみを紹介したが、本書全体を貫く著者の立論の仕方と論理的展開に特に異論はなく、またそうして導かれた現時点での結論（仮説の集積）にも概ね同意できる。

特に、「あらゆる可能性に開かれていることが科学的態度」であり、こんな危機的状況だからこそ「帰納的理性（事件の現場から考察する態度）と、演繹的理性（論理や原則から出発する態度）」の両サイドに照らして考えなくてはならない、との著者の姿勢には大いなる共感と敬意を表したい。

本書を通じて著者が提示した世界権力の闇の構造を踏まえた上で、ニホンという国の消滅はもはや本当に避けられないのか？、私たちは絶望的な時代状況の中で今後どのように生きていくべきなのか？、という残された重い課題に評者を含む読者一人一人が向き合うことが求められている。いうまでもなく、そこに安易な答えはない。

いまの世界は、私たちが想像している以上に過酷で狂っているのではないか。まさに故ジョン・レノンが叫んだように、「世界は狂人によって支配されている」「右も左も狂人によって支配されている」のが現実である。権力と資本の走狗であるマスコミ（テレビ・新聞）は、「報道しない自由」、すなわち不都合な真実を封印することで、政府や企業の広報機関としての役割を忠実に果たしている。

また日本の検察は、「在日米軍直属の組織」であり、マスコミや裁判所も加担して「反米勢力の台頭を阻止するための装置」として機能している。

そのため日本人の多くは、未だに世界の真実に気づくことなく既存の腐敗・堕落した統治システムと「象徴的現実」に盲目的に従う奴隷のような生き方を強いられている。このニホンという国は、カルト連合が支配する中ですでに三権分立は機能せず民主主義は破壊され、宗主国アメリカと国際金融資本に従属しながら、官民一体の「憲政クーデター」によってファシズム（官僚統制主義）・戦争国家へと再び移行しつつある。

本書は、情報操作を見破るメディア・リテラシー（情報を主体的批判的に読み取る能力）を身に付ける最高のテキストである。改憲と新たな戦争・プランデミックが差し迫る中で本書を手にすることができた読者は幸運である。

いまのニホンは得体のしれない同調圧力が強まり、メディアや野党も沈黙し、おかしいことをおかしいと言えない、きわめて異常な言論状況下にある。

その中でも日米合同委員会やワクチン強制に抗議する最近の動きなど、幸いにも「国民国家の回復運動」につながる変化の兆しはある。

絶望的な時代状況の中でも人間らしさを失わずにあくまでも抗い続けること。

「躾られた犬」ではなく、「例外者（風潮に流されず理性的に思考する人間）」たれ！

（ＩＳＦ独立言論フォーラム編集長 https://isfweb.org/、鹿児島大学元教員）

◉参考文献

『監視文化の誕生―社会に監視される時代から、ひとびとが進んで監視する時代へ―』デイヴィッド・ライアン　青土社
『パンデミック監視社会』デイヴィッド・ライアン　筑摩書房
『ウクライナ紛争　歴史は繰り返す』馬渕睦夫　ワック
『現代資本主義と新自由主義の暴走』二宮厚美　新日本出版社
『日本における地政学の受容と展開』高木彰彦　九州大学出版会
『地政学の逆襲』ロバート・カプラン　朝日新聞出版
『退屈とポスト・トゥルース　ＳＮＳに搾取されないための哲学』マーク・キングウェル　小島和男　集英社
『ヴァーチャル社会の〈哲学〉―ビットコイン・ＶＲ・ポストトゥルース』大黒岳彦　青土社
『グローバリズムという病』平川克美　東洋経済新報社
『良き社会のための経済学』ジャン・ティロール　日本経済新聞出版社
『宗教地政学から読み解くロシア原論』中田考　イースト・プレス
『アメリカ民主党の欺瞞　2020―2024』渡辺惣樹　ＰＨＰ研究所
『独裁の政治思想』猪木正道　ＫＡＤＯＫＡＷＡ
『ナチス・ドイツの優生思想』中西喜久司　文理閣
『デジタル化する新興国―先進国を超えるか、監視社会の到来か』伊藤亜聖　中央公論新社

『幸福な監視国家・中国』梶谷懐、高口康太　ＮＨＫ出版
『憲法改正が「違憲」になるとき』ヤニヴ・ロズナイ　弘文堂
『個人と社会―人と人びと』ホセ・オルテガ・イ・ガセット　白水社
『メディアに操作される憲法改正国民投票』本間龍　岩波書店
『だれも知らない日本国の裏帳簿』石井紘基　道出版
『マイナンバーはこんなに恐い！国民総背番号制が招く〝超〟監視社会』黒田充　日本機関紙出版センター
『私たちはどこにいるのか？』ジョルジョ・アガンベン　青土社
『ホモ・サケル　主権権力と剥き出しの生』ジョルジョ・アガンベン　以文社
『例外状態』ジョルジョ・アガンベン　未来社
『哲学とはなにか』ジョルジョ・アガンベン　みすず書房
『カール・シュミット　ナチスと例外状況の政治学』蔭山宏　中央公論新社
『危機の政治学　カール・シュミット入門』牧野雅彦　講談社
『政治的なものの概念』カール・シュミット　未来社
『植民地支配と環境破壊―覇権主義は超えられるのか―』古川久雄　弘文堂
『国家緊急権』橋爪大三郎　ＮＨＫ出版
『プロパガンダ株式会社』ナンシー・スノー　明石書店

『25%の人が政治を私物化する国』植草一秀　詩想社
『国家はいつも嘘をつく　日本国民を欺く9のペテン』植草一秀　祥伝社
『日本はなぜ「基地」と「原発」を止められないのか』矢部宏治　集英社インターナショナル
『インテリジェンス人間論』佐藤優　新潮社
『人間復権の論理』　羽仁五郎　三一書房
『君の心が戦争を起こす―反戦と平和の論理』羽仁五郎　光文社
『自伝的戦後史』羽仁五郎　講談社
『読書脳』立花隆　文藝春秋
『裏切りの世界史』清水馨八郎　祥伝社
『侵略の世界史』清水馨八郎　祥伝社
『資本主義崩壊の首謀者たち』広瀬隆　集英社
『東京が壊滅する日　フクシマと日本の運命』広瀬隆　ダイヤモンド社
『１９８４年』ジョージ・オーウェル　早川書房
『カタロニア讃歌』ジョージ・オーウェル　現代思潮新社
『ならず者の経済学』ロレッタ・ナポレオーニ　徳間書店
『ネット・バカ　インターネットがわたしたちの脳にしていること』ニコラス・G・カー　篠儀直子（翻訳）　青土社

『スノーデンファイル　地球上で最も追われている男の真実』ルーク・ハーディング　日経BP社

『政治学の基礎』加藤秀治郎　一芸社

『脳と心の洗い方　なりたい自分になれるプライミングの技術』苫米地英人　フォレスト出版

『雇用破壊　三本の毒矢は放たれた』森永卓郎　角川書店

『地下経済　この国を動かしている本当のカネの流れ』宮崎学　青春出版社

『放射能が降る都市で叛逆もせず眠り続けるのか―抵抗の哲学と覚醒のアート×100』響堂雪乃／281_Anti Nuke　白馬社

『北朝鮮のミサイルはなぜ日本に落ちないのか―国民は両建構造に騙されている』秋嶋亮　白馬社

『移民の経済学』ベンジャミン・パウエル　東洋経済新報社

『移民の政治経済学』ジョージ・ボージャス　白水社

『不寛容な時代のポピュリズム』森達也　青土社

『メディアに操作される憲法改正国民投票』本間龍　岩波書店

『除染と国家　21世紀最悪の公共事業』日野行介　集英社

『サピエンス全史（上）（下）　文明の構造と人類の幸福』ユヴァル・ノア・ハラリ　河出書房新社

『ギデンズと社会理論』今枝法之　日本経済評論社
『現代政治学』堀江湛（編）、岡沢憲芙（編）　法学書院
『ＴＰＰすぐそこに迫る亡国の罠』郭洋春　三交社
『透きとおった悪』ジャン・ボードリヤール　紀伊國屋書店
『北朝鮮が核を発射する日　ＫＥＤＯ政策部長による真相レポート』イ・ヨンジュン　ＰＨＰ研究所
『プロパガンダ教本』エドワード・バーネイズ　成甲書房
『アメリカはなぜヒトラーを必要としたのか』菅原出　草思社
『泰平ヨンの未来学会議』スタニスワフ・レム　早川書房
『アメリカの国家犯罪全書』ウィリアム・ブルム　作品社
『知の考古学』ミシェル・フーコー　河出書房新社
『言説の領界』ミシェル・フーコー　河出書房新社
『エクリチュールと差異』ジャック・デリダ　法政大学出版局
『現象学』ジャン・フランソワ・リオタール　白水社
『ヨーロッパ諸学の危機と超越論的現象学』エドムント・フッサール　中央公論社
『デカルト的省察』エドムント・フッサール　岩波書店
『間主観性の現象学』エドムント・フッサール　筑摩書房

『デリダ脱構築と正義』高橋哲哉　講談社

『イデオロギーの崇高な対象』スラヴォイ・ジジェク　河出書房新社

『社会学の方法』新睦人　有斐閣

『マクドナルド化の世界』ジョージ・リッツア　早稲田大学出版部

『神話・狂気・哄笑——ドイツ観念論における主体性』マルクス・ガブリエル、スラヴォイ・ジジェク　堀之内出版

『ハンナ・アーレント　公共性と共通感覚』久保紀生　北樹出版

『法の原理　人間の本性と政治体』トマス・ホッブズ　岩波文庫

『正義の境界』オノラ・オニール　みすず書房

『方法序説』ルネ・デカルト　岩波文庫

『討議と承認の社会理論—ハーバーマスとホネット』日暮雅夫　勁草書房

『フランス現代哲学の最前線』クリスチャン・デカン　講談社

『論理哲学論』ルートヴィヒ・ヴィトゲンシュタイン　中公クラシックス

『現代思想を読む事典』今村仁司・編　講談社

『大衆の反逆』ホセ・オルテガ・イ・ガセット　白水社

『暗い時代の人間性について』ハンナ・アーレント　情況出版

『活動的生』ハンナ・アーレント　みすず書房

『権力と抵抗―フーコー・ドゥルーズ・デリダ・アルチュセール』佐藤嘉幸　人文書院
『実存主義とは何か』J・P・サルトル　人文書院
『ジャック・ラカン転移（上）（下）』ジャック＝アラン・ミレール（編）　岩波書店
『消費社会の神話と構造』ジャン・ボードリヤール　紀伊國屋書店
『フーコーの系譜学　フランス哲学〈覇権〉の変遷』桑田禮彰　講談社
『意味の歴史社会学―ルーマンの近代ゼマンティク論』高橋徹　世界思想社
『権力と支配の社会学』井上俊　岩波書店
『グローバリゼーションと人間の安全保障』アマルティア・セン　日本経団連出版
『ナショナリズムとグローバリズム』大澤真幸、塩原良和、橋本努、和田伸一郎　新曜社
『ポストモダンの共産主義』スラヴォイ・ジジェク　筑摩書房
『金融が乗っ取る世界経済―21世紀の憂鬱』ロナルド・ドーア　中央公論新社
『全体主義―観念の（誤）使用について』スラヴォイ・ジジェク　青土社
『秘密と嘘と民主主義』ノーム・チョムスキー　成甲書房
『すばらしきアメリカ帝国』ノーム・チョムスキー　集英社
『経済学は人びとを幸福にできるか』宇沢弘文　東洋経済新報社
『ニグロ、ダンス、抵抗』ガブリエル・アンチオープ　人文書院
『新聞の時代錯誤』大塚将司　東洋経済新報社

『哲学者は何を考えているのか』ジュリアン・バジーニ＋ジェレミー・スタンルーム　春秋社
『悪夢のサイクル』内橋克人　文藝春秋
『なぜ疑似科学を信じるのか』菊池聡　化学同人
『新自由主義の破局と決着』二宮厚美　新日本出版社
『新聞は戦争を美化せよ！―戦時国家情報機構史』山中恒　小学館
『ポスト新自由主義―民主主義の地平を広げる』山口二郎、片山善博、高橋伸彰、上野千鶴子、金子勝、柄谷行人　七つ森書館
『シミュラークルとシミュレーション』ジャン・ボードリヤール　法政大学出版局
『始まっている未来』宇沢弘文、内橋克人　岩波書店
『ショック・ドクトリン　惨事便乗型資本主義の正体を暴く（上）（下）』ナオミ・クライン　岩波書店
『テロルと戦争』スラヴォイ・ジジェク　青土社
『自由からの逃走』エーリッヒ・フロム　東京創元社
『正気の社会』エーリッヒ・フロム　社会思想社
『市場主義の終焉―日本経済をどうするのか』佐和隆光　岩波新書
『暴力とグローバリゼーション』ジャン・ボードリヤール　ＮＴＴ出版
『環境学と平和学』戸田清　新泉社

『世界の知性が語る21世紀』S・グリフィスス　岩波書店
『世界を不幸にしたグローバリズムの正体』ジョセフ・スティグリッツ　徳間書店
『これは誰の危機か、未来は誰のものか―なぜ1%にも満たない富裕層が世界を支配するのか』スーザン・ジョージ　岩波書店
『パワー・インフェルノ―グローバル・パワーとテロリズム』ジャン・ボードリヤール　NTT出版
『日本を喰いつくす寄生虫―特殊法人・公益法人を全廃せよ!』石井紘基　道出版
『世界で最初に飢えるのは日本　食の安全保障をどう守るか』鈴木宣弘　講談社
『食の戦争　米国の罠に落ちる日本』鈴木宣弘　文藝春秋
『私家版・ユダヤ文化論』内田樹　文藝春秋
『疑似科学と科学の哲学』伊勢田哲治　名古屋大学出版会
『疑似科学入門』池内了　岩波書店
『ポストモダン・ニヒリズム』仲正昌樹　作品社
『ポストモダンの新宗教』島薗進　法蔵館
『現代宗教とスピリチュアリティ』島薗進　弘文堂
『平和理論入門』オリバー・P・リッチモンド　法律文化社
『市民的抵抗　非暴力が社会を変える』エリカ・チェノウェス　白水社

『死因の人類史』アンドリュー・ドイグ　草思社
『戦争プロパガンダ10の法則』アンヌ・モレリ　草思社
『ヘーゲル論理学と弁証法』海老澤善一　梓出版社
『戦後思想と日本ポストモダン　その連続と断絶』林少陽　現代書館
『文化の読み方／書き方』クリフォード・ギアーツ　岩波書店
『近代とホロコースト　完全版』ジグムント・バウマン　筑摩書房
『リキッド化する世界の文化論』ジグムント・バウマン　青土社
『液状不安』ジグムント・バウマン　青弓社
『オリジナル・コピー・シミュラークル』原章二　創林社
『近代の虚妄　現代文明論序説』佐伯啓思　東洋経済新報社
『生物学的文明論』本川達雄　新潮社
『無痛文明論』森岡正博　トランスビュー
『人間はどこまで家畜か　現代人の精神構造』熊代亨　早川書房
『人類の自己家畜化と現代』尾本惠市　人文書院
『善と悪のパラドックス―ヒトの進化と〈自己家畜化〉の歴史』リチャード・ランガム　NTT出版

著者紹介

秋嶋亮（あきしまりょう）社会学作家、思想家。

全国紙系媒体の編集長を退任し社会学作家に転向。ブログ・マガジン「独りファシズム Ver.0.3」http://alisonn.blog106.fc2.com/を主宰し、グローバリゼーションをテーマに精力的な情報発信を続けている。主著として『独りファシズム―つまり生命は資本に翻弄され続けるのか？―』（ヒカルランド）、『略奪者のロジック―支配を構造化する210の言葉たち―』（三五館）、『終末社会学用語辞典』（共著、白馬社）、『植民地化する日本、帝国化する世界』（共著、ヒカルランド）、『ニホンという滅び行く国に生まれた若い君たちへ―15歳から始める生き残るための社会学』（白馬社）、『放射能が降る都市で叛逆もせず眠り続けるのか』（共著、白馬社）、『北朝鮮のミサイルはなぜ日本に落ちないのか―国民は両建構造（ヤラセ）に騙されている―』（白馬社）『続・ニホンという滅び行く国に生まれた若い君たちへ―16歳から始める思考者になるための社会学』（白馬社）、『略奪者のロジック 超集編―ディストピア化する日本を究明する201の言葉たち―』（白馬社）、『ニホンという滅び行く国に生まれた若い君たちへ OUTBREAK―17歳から始める反抗者になるための社会学』（白馬社）、『無思考国家―だからニホンは滅び行く国になった―』（白馬社）『日本人が奴隷にならないために―絶対に知らなくてはならない言葉と知識―』（白馬社）、『日本が世界地図から消える前に―最悪の時代を生き抜くための社会学―』（白馬社）などがある。

スマホに召集令状が届く日

—ようこそ！戦争と独裁の未来へ—

2024年７月31日　第一刷発行

著　者　秋嶋　亮
校　正　熊谷喜美子
発行者　西村孝文
発行所　株式会社白馬社
〒612－8469
京都市伏見区中島河原田町28－106
電話075(611)7855　FAX075(603)6752
HP http://www.hakubasha.co.jp
E-mail info@hakubasha.co.jp
印刷所　モリモト印刷株式会社

ISBN978-4-907872-41-0